EEN HART IN VERWARRING

Julia Burgers-Drost

Een hart in verwarring

Spiegelserie

Zomer &Keuning

Opgedragen aan mijn zus
Henriëtte Johanna Drost
Psalm 91:4

MIX
Papier van
verantwoorde herkomst
FSC® C014496

ISBN 978 90 5977 822 1
e-ISBN 978 90 5977 823 8
NUR 344

www.spiegelserie.nl
Omslagontwerp: Bas Mazur

Dit boek is gedrukt op FSC-gecertificeerd papier

1

'HEB JE GEEN SLEUTEL BIJ JE?'
Al pratend opent Anja Berkhout de deur voor Sigrid, haar dochter. Een lachend gezicht boven overvolle tassen en pakjes.
'Goed dat je me hoorde, mam, ik kon echt niet bij de bel en de deur van de auto staat nog open. Maar ik héb wat ik hebben wilde.'
Behoedzaam stapt Sigrid over de drempel. Haar helderblauwe ogen glanzen in het vriendelijk gezicht en Anja denkt: wat is ze gelukkig, dat kind van mij!
'Ik zal je ontlasten. Breekbare spullen?'
'De nog ontbrekende delen van het servies. En je gelooft het of niet: in de uitverkoop. Het gaat namelijk uit de handel, dus heb ik maar flink ingekocht. Een bordje of kopje is immers zó gebroken.'
In de knus ingerichte woonkamer laat de ze inkopen op de leren drie-zitsbank zakken.
'Pffft! Heb je nog koffie, mam?'
'Doe jij eerst je autoportier maar op slot, dan zet ik verse koffie.'
Sigrid ontdoet zich van haar jack en lange sjaal die ze enkele malen om haar hals had gewikkeld. Ze loopt haar moeder na, door de gang de keuken in. 'Het was erg druk, geen doorkomen aan. Alsof iedereen besloten had vandaag de sinterklaasinkopen te doen.'
Ze ploft op een keukenstoel en kijkt naar haar moeder die de handeling om koffie te zetten automatisch uitvoert. Sigrid kwebbelt aan één stuk door, maar dat is niets nieuws. Ze was bijzonder vroeg met praten, en toen ze de kunst machtig was, leek ze geen remmen te hebben. Ze bleef maar praten tegen de enthousiaste ouders, de poppen en de beren, en als die er niet waren, konden prentenboeken goed als klankborden dienen.
Behalve serviesgoed heeft Sigrid ook dekbedhoezen en onderleggers ingeslagen. 'Ik heb dus een stapel decemberloten, mam. Invullen, weg-brengen en als het kan iets winnen. O wacht, ik heb gevulde speculaas meegebracht. Even rommelen in mijn tassen, momentje.'

Anja zucht onhoorbaar. Wat zal het stil in huis zijn als Sigrid getrouwd is en waarschijnlijk aan de andere kant van het land gaat wonen. Haar vriend, Jeroen, heeft onlangs een geweldige promotie gemaakt, op voorwaarde dat hij zou verhuizen. Hij accepteerde het aanbod zonder het met Sigrid te overleggen, iets wat beide ouders niet aanstaat.

'Van de bakker, mam. Daar kun je geen nee tegen zeggen, toch?'

Ze nemen de koffie en het gebak mee naar de kamer. Het is goed merkbaar dat het december is. De dagen zijn kort en donker. Maar de koffie smaakt best.

Sigrid kijkt bijna verliefd naar de stapel inkopen.

'Na de koffie berg ik alles op. Een bof dat ik de logeerkamer kan gebruiken, ik zou niet weten waar ik alles moest laten als ik in een piepklein flatje zou wonen. Er is nog zó veel te regelen. Zelfs de jurk is nog niet gekocht.'

Omdat haar werk vrij dicht bij de ouderlijke woning is, bleef Sigrid liever thuis wonen tot de bruiloft. Tot ergernis van Jeroen, jammer genoeg. Maar de praktische Sigrid hield voet bij stuk: behalve dat het thuis gezelliger is dan alleen wonen, telt ook het voordeel mee. Een huishouden opzetten is kostbaar, zeker als je eisen stelt. En dat doen ze beiden.

'Loop je zo meteen even mee naar boven, mam, om alles te zien? Misschien kom jij nog op een idee. Maar ik geloof dat ik alles wat nodig is, heb aangeschaft. De meubels, vloerbedekking en de rest doen we samen. Maar Jeroen zegt dat hij zijn tijd niet wil verspillen aan het neuzen in winkels naar washandjes en bestek. Echt een man, niet?'

Als de aankopen zijn uitgepakt trippelt Sigrid trots door de logeerkamer. Wat een weelde! Ze heeft de middelen om te kopen wat ze nodig heeft en bovenal: dat wat niet echt nodig is. Dingen voor de fun, zo noemt ze het.

'Morgen gaan Jeroen en ik naar Limburg, mam. Kijken naar het huis. Ik wil het liefst meteen door naar een zaak die voor de stoffering kan zorgen, maar Jeroen heeft 's avonds een afspraak met zijn vriendenclub. Wat zal hij die missen na het trouwen, mam!'

Anja knikt. Ze zegt niet hardop wat ze denkt: Sigrid zelf zal nog meer missen, behalve haar vriendinnen. Ze is zo wijs om zich niet te bemoeien met de plannen van haar dochter. Bij haar eigen vriendinnen heeft ze gezien dat dit ellende kan geven en bovenal verwijdering. Dat is wel het laatste wat ze wil. Limburg is toch al zo ver bij hen vandaan, minstens twee uur rijden. Zeker weten dat ze haar dochter niet kwijt zal raken. Daarvoor is de band te hecht. Wat wil je, als je slechts één kind rijk bent?

Moeder en dochter bekijken de spullen die wachten op hun uiteindelijke bestemming. 'Ik kan niet wachten, mam, om alles een eigen plekje te geven. Zo lief van Jeroen dat hij mij de keus laat. Nou ja, niet in alles, maar toch.'

Anja denkt echter: lekker gemakkelijk voor hem.

Opeens slaat Sigrid haar armen om haar moeder heen. 'Mam, wat zal ik jou en pap missen. Maar we bellen vaak en bovendien: we kunnen elkaar zien via de computer. Leuk is dat, mam! Dan is het net of we bij elkaar in de kamer zitten.'

Anja lacht haar tranen weg en roept dat het net is of haar dochter zich in een aquarium bevindt. 'Maar ik moet toegeven dat het een uitvinding van jewelste is.'

Dan zegt Anja dat het de hoogste tijd is om te beginnen met het klaarmaken van de warme maaltijd. Terwijl ze de trap af loopt, bedenkt ze weer dat het stil zal worden in huis, na de bruiloft. Frits en zij alleen, na dik twintig jaar. Maar wordt er niet gezegd: alles went uiteindelijk? Sigrid kan bijna niet wegkomen bij haar schatten. Als Jeroen haar morgen komt halen om het toekomstige huis te bezichtigen, sleept ze hem mee naar boven, zeker weten! Geen belangstelling? Wel, dan leert hij dat maar!

Gehuld in gemakkelijke kleding wacht ze hem de volgende ochtend op. Hij is precies op tijd, zoals gewoonlijk. Als hij door het tuinhekje komt, staat Sigrid hem in de deuropening op te wachten en ze denkt: wat is hij toch een knappe vent!

Ze duikt op hem af en als Jeroen haar van de grond tilt en in de rondte zwaait, gilt ze van pret.
'Niet bepaald ladylike,' plaagt hij.
Ze geeft hem een kus en zegt: 'Eigen schuld!'
Hij gunt hun nauwelijks tijd om koffie te drinken. De overheerlijke
roomsoes werkt hij in ijltempo naar binnen en echt, de ingekochte
spullen kan hij op de terugweg ook wel bekijken.
'We hebben nu belangrijker zaken aan ons hoofd.'
Frits informeert naar de overplaatsing die Jeroen te wachten staat. Hij
wuift de vraag weg. 'Straks, Frits. We zitten in tijdnood, ik heb afgesproken de sleutel af te halen en ik wil niet te laat komen. Tot straks
dan maar.'
Sigrid knuffelt haar ouders alsof ze van plan is vandaag niet terug te
komen. Ze zwaait tot ze de hoek om zijn en dan slaakt Jeroen een diepe
zucht.
'Eigenlijk ben ik blij dat we niet al te dicht bij onze ouders gaan wonen,
liefje. Die van jou zijn zo claimerig!'
Sigrid briest.
'Zeur niet over mam en pap. Ze zijn de liefste ouders die een mens zich
maar kan wensen. Ooit hoop ik net zo'n moeder als mam te worden.'
Jeroen grinnikt. Dat is zijn manier om zich te verontschuldigen.
Hij geeft nog meer gas, het wordt aan de lopende band inhalen.
Als het Sigrid te bar wordt, zegt ze: 'Je riskeert een boete. Jammer van
het geld, jochie!'
Jeroen zegt dat na een hele week binnenshuis achter de computer te
hebben gezeten, snel rijden pure ontspanning is.
Ze vliegen aan het landschap voorbij. Sigrid staart naar de lucht, genie-
tend van de zwermen wilde ganzen die in V-vorm zich verplaatsen. En
dan, een opstijgend groepje zwanen. Ze deelt de kleine genoegens niet
met Jeroen. Het zou hem immers niets zeggen?
In de weilanden scharrelen schapen, hun vacht is grauw. Sommige hebben dikke buiken en Sigrid vraagt zich af hoelang een schaap drachtig
is. Lammetjes in het voorjaar, ze kan er nooit genoeg van krijgen. Tot

ze bedenkt dat veel van hen later in de koelvitrines bij de supermarkt terechtkomen. Lamsvlees, ze eet het uit principe niet. Die beestjes hebben geen tijd van leven gehad.

Pas als ze door heuvelachtig terrein van Zuid-Limburg rijden, komt het gesprek weer op gang. Jeroen hoeft niet naar de weg te zoeken, het navigatiesysteem leidt hem feilloos de goede kant op.

'Hier moeten we zijn. In dat huis daar woont een aanstaande collega van me. Hij heeft de sleutels van het huis. Ga je mee naar binnen, meisje?'

Sigrid aarzelt. Eigenlijk vindt ze het jammer van de tijd om een bezoekje af te steken. 'Moet dat dan? Je zou toch alleen de sleutel halen?'

Jeroen kijkt geërgerd opzij. 'Kom nu maar, je zult in de toekomst wel vaker moeten opdraven in verband met mijn werkzaamheden.'

'Nou!' protesteert Sigrid, maar gewillig als ze is, volgt ze hem het huis van de nieuwe collega in.

Later dan gepland rijden ze naar hun nieuwe huis. Jeroen liet zich tijdens het bezoekje van zijn vlotste kant zien, terwijl Sigrid het gevoel had of ze zelf op een rem stapte.

'Je was niet bepaald toeschietelijk, Sigrid. Mijn collega heeft een leuk vrouwtje, knap ding. Je zult haar wel vaker ontmoeten. Ja, jouw voorspelbare leventje komt op zijn kop te staan! Haha.'

Hij stopt voor een aardig huis aan de rand van een groot dorp waar Sigrid de naam alweer van is vergeten.

Ze houdt even haar adem in. Wat een dot van een woning! Luiken – waarschijnlijk nep – naast de ramen en het dak is rietgedekt. De voortuin biedt een verwaarloosde indruk, maar dat is snel te verhelpen, weet ze.

'Een hoge beukenheg om het huis, wat leuk, Jeroen. Het biedt een veilige indruk. Laten we gauw gaan kijken!'

Ze ademt de frisse winterlucht in. Het lijkt of het hier minder koud is dan in de eigen omgeving. Jeroen straalt. 'Leuk om te beginnen, maar zodra we alles op de rails hebben, hoop ik toch een woning te kunnen kopen die meer te bieden heeft dan dit stulpje. Maar om te beginnen...'

Sigrid heeft haar mond al open voor een protest: als je dit huis vergelijkt met de ouderlijke woning waar Jeroen is geboren en getogen, is zijn opmerking bespottelijk.

De deur zwaait open. Jeroen stapt als eerste naar binnen en snuift.

'Schimmel, verschaalde tabakslucht... hier moet veel gebeuren wil ik er intrekken.'

Sigrid is verrukt van de tegels in de vierkante hal. De vloerbedekking in de kamer is ook naar haar zin en zeker de overgordijnen van blauw velours. Kussens op een bank in dezelfde kleur, en planten, net als bij haar thuis. Veel planten.

Jeroen loopt met opgetrokken schouders en handen in de zakken van kamer tot kamer, van boven naar beneden.

'Ik eis dat het van onder tot boven wordt schoongemaakt!'

Sigrid kijkt naar hem op als hij de trap af komt. Haastig zegt ze: 'Mam en ik...'

'Niks mam en ik. Hier moet een schoonmaakbedrijf aan te pas komen. Professionele mensen die van wanten weten. Die lucht moet eruit en anders houd ik het voor gezien! En ook de tuin... je kunt toch niet verwachten dat ik in mijn positie ieder vrij uurtje ga spitten en wieden? Nee, dat moet opnieuw aangelegd worden.'

Sigrid leunt, opeens doodmoe, tegen een muur. 'En jij denkt dat ze – jouw directie – al die eisen meteen inwilligen?'

Jeroen kijkt haar aan met een medelijdende blik. Wat weet ze toch weinig van de echte wereld. Ze is en blijft wie ze is, zijn domme gansje.

'Schat, ik weet wat ik zeg en ik bén in de positie om eisen te stellen. Geloof me nu maar.'

Opeens fel schiet Sigrid uit: 'Als je maar niet gaat vertellen dat je aanstaande vrouw eisen stelt. Want dat doe ik niet. Dit is een droomhuisje. En deze twee handen...' ze heft ze omhoog, 'zijn opperbest in staat én de tuin én het huis naar je zin te maken.'

Jeroens lach klatert door het halfgemeubileerde huis.

'Jij bent onverbeterlijk. Schat, één ding moet je leren: ik ben niet meer het Jeroentje van toen we pas verkering kregen. Ik groei in mijn werk en positie en het is wenselijk dat jij meegroeit. Maar daar hebben we het later over. Nu gaan we ergens uitgebreid eten, jawel, op kosten van de zaak!'

Het is al donker als ze de straat in rijden waar Sigrid woont. Veel is er niet op de terugweg gepraat. Jeroen reed snel en fel, een boete is hem bespaard gebleven en nee, tijd om mee naar binnen te gaan heeft hij niet. 'Je weet toch dat ik heb afgesproken met de jongens van de zaak. Zoals elke eerste zaterdag van de maand. Maar morgen zien we elkaar in de kerk. En daarna verras ik je op iets wat je leuk zult vinden!'
Een snelle zoen, dan laat ze zich soepel uit de auto glijden. Huiverend kijkt ze de wagen – van de zaak – na. Een claxonstoot en weg is hij.
Lopend naar de voordeur ontsnapt Sigrid een snik.
'Schaam je!' mompelt ze tegen zichzelf. Ze zal zich heus weten te schikken naar Jeroens wensen en hem bijhouden in dat wat hij zijn groei noemt. En natuurlijk was kennismaken met een nieuwe collega en zijn vrouw belangrijker dan het bekijken van servies, potten en pannen en de rest.
Ze rommelt in haar tas, zoekt en vindt de sleutel. Het is nu zaak ervoor te zorgen dat pap en mam niet verontrust raken. Men kan alles in het leven van twee kanten bekijken. De positieve en de negatieve. Ze kiest voor het eerste. Want is een leuk huis niet positief? Ze trouwt met een man die een goed inkomen heeft en het is geen noodzaak dat ze zelf op zoek gaat naar werk. Ook al heeft ze die wens wel.
Sigrid duwt de voordeur open. Vertrouwde warmte en sfeer komen haar tegemoet. Nog is ze Sigrid Berkhout. Maar de persoon die haar ouders begroet, heeft al veel weg van mevrouw Harmsen!

2

ZONDAGOCHTEND.

Sigrid gaat met haar ouders naar de kerk. Daar aangekomen kijkt ze uit naar Jeroen. Zoals gewoonlijk.

Tot Sigrids ergernis komt hij niet opdagen. Wel, dat moet hij zelf maar uitmaken. Maar waarom niet even gebeld!

De hele dienst is ze onrustig. Na afloop verontschuldigt ze zich bij haar ouders. 'Ik heb met Jeroen afgesproken... O kijk, daar komt hij al aan.' Een vluchtig afscheid, ze haast zich naar de auto toe en rukt het portier open.

'Zeg maar niks, je bent natuurlijk gisteravond flink doorgezakt met je vrienden. Ik zat in de kerk op hete kolen!'

Jeroen grinnikt en geeft gas. 'Knap ouderwets, die kolen. Hadden de mensen vroeger niet stoofjes met kolen om de voeten warm te houden? Kom, lach eens tegen je vriendje.'

Hij buigt zich gevaarlijk opzij en biedt Sigrid zijn gladgeschoren wang aan. Hij ruikt lekker naar scheerzeep en aftershave.

Wat de verrassing is? Ze vindt het toch zo leuk om een bezoek aan zijn ouders te brengen? Terwijl hij dit ziet als een verplichting.

Sigrid nestelt zich op de gemakkelijke passagiersstoel. Dom, ze weet toch als geen ander dat Jeroen een hekel heeft aan bedillen? Hij grijnst en zegt dat het al heel geschikt van hem is om helemaal naar het huis van zijn ouders te rijden.

'Heel gewoon, hoor, om op zondag je niet meer zo jonge ouders een bezoek te brengen. Je bent gisteren ook zonder mopperen naar Limburg gereden. O zo!'

Zwijgend vervolgen ze hun weg in een te hoog tempo. De ouders van Jeroen wonen in een klein dorp in Noord-Holland, vlak bij de kust. Sigrid mag haar beide schoonouders graag. Helaas, zo weet ze sinds kort, geneert Jeroen zich voor zijn eenvoudige afkomst, wat Sigrid soms doet uitroepen: 'En ik schaam me omdat jij je voor je afkomst geneert!' Binnen de normale tijd rijden ze de straat met jarenveertighuizen in.

Sigrid ziet haar aanstaande schoonmoeder voor het raam staan. Staat ze te wachten of het zoonlief behaagt langs te komen?

Sigrid wuift naar het stralende gezicht. De deur staat al wijd open, nog voor ze goed en wel zijn uitgestapt. Met haar tasje onder een arm haast ze zich naar de oudere vrouw toe, die beide armen uitstrekt ter begroeting.

'Daar zijn we dan. Wat ruikt het hier zondags! Gebak, vlees... Voor we trouwen, moet ik maar een poosje bij u in de leer, moeder van Jeroen.'

Moeder, ze heeft maar één moeder en dat is mam. Het liefst zou ze de ouders van Jeroen bij de voornaam noemen, maar daarvoor zijn ze te ouderwets.

Ze duwt de gastvrouw een doos exclusieve chocolaatjes in de hand. Het beste dat het winkeltje van een tankstation te bieden heeft.

Er worden drie kussen uitgewisseld.

Jeroen komt bedaard achter Sigrid aan. Hij slaat zijn vader op een schouder en kust zijn moeder op haar kruin.

De sfeer in het kleine huis doet Sigrid aan die van haar grootouders denken, tot en met de huiselijke geuren. Alles verloopt volgens plan. Nog een tweede kopje met een koekje. Praten over de kerkdienst, klassieke radiomuziek op de achtergrond. De ramen beslaan, de geuren uit de keuken dringen door tot in de kamer en doen het water in de monden lopen.

Halfeen: vader schenkt een glaasje port. 'Jij maar een kleintje, jongen, je moet nog rijden en je hebt een kostbare last.'

Sigrid loopt naar de keuken om een helpende hand te bieden. Als alles in gereedheid is gebracht, omarmt de kleine vrouw Sigrid opeens met beide armen. 'Kindje, dankzij jou zien we onze Jeroen vaker dan voorheen. Daar zijn vader en ik je zó dankbaar voor.'

Sigrid zegt dat ze het logisch vindt, de zondagse bezoekjes. 'Ik kijk er echt naar uit, moeder van Jeroen.'

Het eten smaakt zoals gewoonlijk perfect. Dat moet zelfs de verwende Jeroen toegeven.

Als vanouds leest vader Harmsen na het dessert een stukje voor uit de bijbel. Jeroen staart naar het plafond, maar Sigrid dwingt zich de tekst tot zich te laten doordringen. Heel simpel: de Heer is mijn Herder. Vader Harmsen spreekt een eenvoudig gebed uit en Sigrid vraagt zich opeens af of Jeroen dat later, als ze een gezin hebben, ook zal doen. Ze realiseert zich dat ze samen over van alles en nog wat praten, maar zaken als persoonlijk geloof komen niet – nog niet – aan de orde. Wel dat ze in de kerk willen trouwen.

'Amen,' zegt Jeroens vader. De anderen mompelen hem na.

Jeroen rekt zich uit en kijkt verlangend naar buiten. 'Zullen we een stuk langs de zee lopen, Sigrid? Dat doe je toch zo graag?'

Sigrid knikt, maar ze zegt dat ze eerst wil helpen afruimen en de vaat doen. Een vaatwasser is dit huishouden niet rijk.

Jeroen knort. Hij sjokt achter zijn vader aan die in het 'salongedeelte' gaat zitten. 'Sigaartje, jongen?'

Terwijl de mannen roken, loopt Sigrid bedrijvig heen en weer. Ze vertelt aan mevrouw Harmsen wat ze zoal gekocht heeft en lacht: 'Het interesseert Jeroen geen fluit wat ik heb gekocht. Maar hij zou raar staan te kijken als hij na het trouwen zou ontdekken dat er geen vork of kurkentrekker is!'

Mevrouw Harmsen zegt zorgelijk wat háár zorg is: 'Volgens mij gebruikt onze jongen de kurkentrekker vaker dan raadzaam is.'

Samen zijn ze snel door het werk heen en daarna loopt Sigrid naar de gang om haar jas aan te trekken. 'Tegen theetijd zijn we terug, moeder van Jeroen. Dan kunnen jullie je middagdutje doen.'

Eenmaal buiten legt Jeroen een arm om Sigrids schouders.

'Zie de buren gluren door de ramen...' Sigrid schurkt zich tegen hem aan. 'Net een begin voor een sinterklaasgedicht, dat 'buren' en 'gluren'... Ik denk trouwens dat die mensen met je meeleven. Je was toch ooit het kleine Jeroentje dat hier op straat speelde? Bij ons gaat dat net zo.'

Jeroen snuift de zilte lucht in, vertraagt dan zijn pas om Sigrid te zoenen.

'Ik wil ooit een huis, meisje, dat níét in een straat staat. Maar vrij, ergens in een buitenwijk. Aan de rand van de bewoonde wereld.'

Sigrid denkt hem te begrijpen. 'Meer in een laan, bedoel je? 't Maakt mij niet uit, als jij er maar bent.'

Het mag dan december zijn, het strand wordt toch druk bezocht. Mensen met honden. De dieren springen enthousiast in het koude water en proberen het van de branding te winnen. Natuurliefhebbers die in stevige wandelpas voortbenen. Maar ook ouders met spelende kinderen.

Hand in hand rennen Jeroen en Sigrid tot aan de branding. Sigrid bukt zich, enthousiast over het zeesterretje dat ze vindt. Jeroen staart naar jongelui die aan het surfen zijn.

Sigrid geniet. 'Zie je die jongens daar, met die vliegers. Ik geloof dat hun papa nog meer plezier heeft dan zij hebben. Gingen jullie vroeger ook vliegeren? Toen waren de vliegers vast nog niet zo mooi als nu. Kijk toch... die ene is net een echte roofvogel.'

Jeroen trekt haar mee, weg van de branding, richting duinen. Hij kent de weg als geen ander.

'Hier zijn de vrij- en knuffelplekjes. Kom op, in de luwte kunnen we ons geweldig vermaken. Vroeger...'

Sigrid legt een hand over zijn mond. Ze wil niets horen over dat vroeger. Ooit liet hij zich ontvallen dat het hem aan vriendinnetjes niet ontbrak. Ze kan zich er letterlijk van alles bij voorstellen.

Het geluid van de altijd rollende branding is hier minder te horen en in de luwte is het inderdaad goed toeven.

Jeroen neemt Sigrid in beide armen. Hij kust haar vuriger dan anders en trekt haar mee omlaag. Sigrid laat hem begaan. Ze rolt tegen hem aan, wijst naar de lucht waar de meeuwen schreeuwend schijnbaar ronddolen. 'Kijk toch hoe mooi, als de zon ze beschijnt, en dan die schapenwolkjes, Jeroen. Ik zou best aan zee willen wonen.'

Jeroen legt haar met zijn kussen het zwijgen op, zijn ene hand prutst aan haar zorgvuldig geknoopte sjaal. 'Sst, niet praten maar genieten!' meent hij en als zijn mond bij het kuiltje in haar hals is, kreunt hij van verlangen. Sigrid wil hem afweren, het is niets voor haar om zich zo in de natuur te laten gaan. Hij hoeft nog maar een paar maanden geduld te hebben en, zo vindt ze, dat heeft nog geen mens kwaad gedaan: geduld hebben.

'Laat je toch eens gaan! Gooi die antieke opvoeding van je af, je bent een grote meid, Sigrid! Ik ben je toekomst, hoor je? We hebben onze eigen normen en waarden, anno nu. Moeders willen dat hun nageslacht altijd kind blijft... hún kind.'

Sigrid hijst zich wat omhoog. Het lukt niet echt, want Jeroens lichaam drukt zwaar op het hare.

Dan, als geroepen, duikt er op het duin vóór hen een stel tieners op. Eén roept: 'Jullie vaste plekje is bezet door een paar ouwelui. Je had er een bordje 'verboden toegang voor onbevoegden' op moeten zetten!' Ze brullen van het lachen. Een jongen gooit een bierflesje in hun richting, wat het lachen verhoogt. Hun hysterische geluid maakt dat Sigrid zich betrapt voelt. En méér.

De jongelui duiken in een duinpan vlak in hun buurt. Even lijkt het erop dat Jeroen hun de les wil lezen. Sigrid gaat rechtop zitten, met moeite lukt het haar om te gaan staan op de ongelijke bodem. Zand, op haar haar, overal in en op haar kleding.

Jeroen vindt snel zijn kalmte terug. Hij grijnst van oor tot oor. 'Wat heb ik hun te verwijten? Het is alsof ik mezelf van vroeger zie en hoor.'

Sigrid klopt haar kleding af en woelt met beide handen door het halflange haar. 'Zó!' Ze probeert luchtig over te komen.

Zelf heeft ze geen heftige herinneringen aan vrijpartijtjes in de duinen, noch ergens anders. Mannen, zo beseft ze, zitten toch anders in elkaar dan vrouwen. Ze willen scoren, veroveren en zijn slachtoffer van hun hormonen. Toch?

'Laten we nog een stukje lopen, Jeroen. Ik vind het maar drie keer niks om in het zand te rollebollen. Bovendien zijn we geen zestien meer.'

Ze begint langzaam het duin af te lopen, een zwijgende Jeroen volgt.

Een jochie geeft een trap tegen zijn voetbal die hun kant op komt gesuisd. Sigrid weet hem te ontwijken door opzij te springen, maar Jeroen reageert adequaat. Hij schopt de bal terug, recht op het kind af. Een juichkreet is zijn beloning.

Ze lopen een stukje verder, klauteren dan weer via een strandopgang naar dat wat de boulevard wordt genoemd. En opeens is Jeroen weer de man die Sigrid goed meent te kennen.

Hij legt, als wil hij haar beschermen, een arm rond haar heupen en blaast een kus in het blonde haar. 'Zo'n jochie... Toch wel leuk om later een zoon te hebben met wie je kunt voetballen en vliegeren. Je krijgt gelijk, meisje. Kinderen nemen is best een optie.'

Waarop Sigrid, gelukkig als ze opeens is, reageert met: 'Die néém je niet, schat, die hopen we te krijgen!'

Opgefrist en uitgewaaid lopen ze de straat weer in waar Jeroens ouders wonen.

'Wat een drukte opeens,' verbaast Sigrid zich. 'Een rij auto's, en het lijkt wel of ze bij je ouders moeten zijn.'

Jeroen blijft met een schok staan. Sigrid doet een stap terug en kijkt hem verbaasd aan. 'Is er wat?'

Jeroen denkt hardop. 'Er is niemand jarig... je hebt gelijk, ik kan van hieraf zien dat de kamer vol is met mensen. Ik heb het!' Hij balt een vuist en slaat zich voor het hoofd. 'De trouwdag van pa en ma. Even rekenen, geen kroonjaar of hoe ze dat ook mogen noemen. Maar de ouwelui gedenken jaarlijks hun huwelijksdag alsof het ik-weet-niet-wat voor belangrijks is. Stom dat ik het ben vergeten. Niks aan te doen. Dan maak jij meteen kennis met al wat oom en tante is.'

Sigrid vindt het vervelend en informeert of ze even langs een pompstation zullen rijden voor een bos bloemen.

'Welnee. Dat we er zijn moet genoeg zijn. Kom op, dan stel ik je aan iedereen voor en daarna zijn we snel weg. Er zijn nauwelijks stoelen genoeg voor die aanhang.'

Sigrid voelt zich opgelaten als ze het huis binnenstappen. Ze is boos op Jeroen, maar toont dat niet. Aan de kapstok is geen haakje meer vrij, op een stoel in de gang ligt zelfs een stapel jassen, mutsen en sjaals.

Uit de kamer komt vrolijk gelach. Het gezelschap zit aan de thee, zoals verwacht. Jeroen kamt met zijn vingers door zijn haar en duwt Sigrid voor zich uit.

'Dag allemaal. Geweldig dat jullie allemaal aan de trouwdag van pa en ma hebben gedacht. We doen de ronde en voor alle duidelijkheid...'

De visite is stilgevallen en kijkt vol verwachting naar de nieuwkomers.

'Dit is mijn aanstaande, Sigrid. We hopen binnen niet al te lange tijd te trouwen en bij dezen zijn jullie uitgenodigd. We gaan in Limburg wonen, daar word ik naar overgeplaatst. Voor wie wil weten waar Sigrid haar boterham mee verdient: ze is visual merchandiser van beroep.'

De vlammen slaan Sigrid uit. Ze slaat haar ogen neer, niemand hoeft de boosheid te zien die daar duidelijk in is te lezen.

'Hè? Wat mag dat dan wel voor baantje zijn? Iets met computers? Tegenwoordig zit iedereen in de computers. Het is voor mensen als wij nog erger dan Mongools.'

Sigrid maakt zich van Jeroen los. Ze heeft zich hersteld en besluit Jeroen op de terugweg duidelijk te maken dat ze absoluut niet is gesteld op de manier waarop hij de familie benadert.

'Dag allemaal, nu weten jullie meteen alles van mij. En mijn beroep heeft ook een gewone Hollandse naam: het is niets anders dan etaleur. Etaleur in een warenhuis en het is leuk werk.'

De visite herademt en kijkt de nieuweling in de familie welwillend aan. Etaleur, die baan zegt hun wel degelijk iets. Is die en die uit de familie van de vroegere buren ook niet zoiets?

Sigrid doet de ronde, drukt handen en glimlacht. Moeilijk om meteen alle namen van de ooms en tantes te onthouden.

'Ik hoop jullie vaker te zien, zodat we elkaar leren kennen.'

De tantes monkelen met elkaar: Jeroen boft met zo'n eenvoudig meisje. Zij zal hem wel op de goede weg weten te houden.

De moeder van Jeroen straalt en als Sigrid haar naloopt als ze naar de keuken gaat, zegt deze glimlachend dat ze wel wisten dat Jeroen niet aan de datum had gedacht. 'Hij woont niet meer thuis en dan krijg je dat soort dingen. Ik neem het hem niet kwalijk. Daar ben je moeder voor. Fijn dat de familie jou eindelijk heeft gezien, ze vroegen al zo vaak wanneer Jeroen met zijn meisje op de proppen zou komen.' En in één adem erachteraan: 'Ik schenk je een kopje verse thee in. Kijk, gebak is er ook. Zelfgemaakt.'

Ze legt uit hoe de opgerolde cake is gemaakt. Sigrid luistert belangstellend en onthoudt er geen woord van. Er zijn per slot van rekening kookboeken te koop en vergeet internet niet: daar zijn alle recepten te vinden.

In de kamer wordt er een plaatsje voor haar vrijgemaakt op de bank waar al twee mollige tantes zitten. 'Dus jij werkt in een winkel.'

Vragen en nog eens vragen. Tot Jeroen het beu is en in zijn handen klapt. 'Sigrid, schatje, we moeten opstappen. Er is mist voorspeld en dat is lastig rijden.'

Sigrid wurmt zich tussen de tantes uit, glimlacht verontschuldigend en zegt dat ze een volgende keer verder praten.

Nu moet ze opnieuw de ronde doen. Dit keer willen alle tantes een kus en één oom houdt verlangend zijn wang op zodat Sigrid niet anders kan dan ook hem zoenen. Vader en moeder lopen beiden mee naar de auto.

Jeroen kijkt hen met iets van verontschuldiging in zijn ogen aan. 'Sorry dat ik de datum kwijt was, ik zal er niet om liegen. In het vervolg herinneren jullie mij eraan, dat voorkomt dat ik blunders maak.'

Sigrid geeft hem een por. 'Ik zorg als we getrouwd zijn voor een verjaardagskalender waar dit soort datums ook op komen te staan. Bedankt voor de gezelligheid en het heerlijke eten, moeder van Jeroen! En tot gauw dan maar weer.'

Ze zwaaien tot ze de hoek om zijn. Dan laat Sigrid een zucht ontsnappen en leunt ze ontspannen achterover.

'Sorry, schatje. Vervelend voor je, maar het maakte wel dat we tijdig konden ontsnappen. Ik ben de kliek ontwend, moet je weten. Pa en ma, dat is tot daaraan toe. Maar die aanhang...'

Sigrid zwijgt. Als ze zou spreken, wordt het ruzie, weet ze. Spreken is nog steeds zilver en in hun geval is zwijgen goud...

Pas als ze een eind op weg zijn, merkt Jeroen dat Sigrid wel erg stil is. 'Moe?' Hij legt een hand op haar dij.

'Hm, gaat wel. Leuk om je familie gezien te hebben. Je moeder was zo trots de hele bups bij elkaar te hebben. Ze keek echt vergenoegd.'
Jeroen geeft meer gas en bromt wat binnensmonds.
'Wat je leuk noemt.'
'Een familieband is kostbaar, Jeroen. Ik heb niet zoveel familie, al zijn er in de verte naar ik meen nog wel wat tantes die ik nooit heb ontmoet. Tegenwoordig zijn er veel mensen die hun stamboom proberen te achterhalen. Soms staan ze versteld wat en wie er tevoorschijn komt. Ergens lijkt het me wel leuk.'
Jeroen kijkt verstoord opzij. 'Zoek jij maar andere hobby's. Stamboomonderzoek... alleen het woord al doet me griezelen.'
Een nietszeggend gesprek tot ze stoppen voor het huis van Sigrids ouders. Sigrid rekent erop dat Jeroen mee naar binnen gaat, maar dat is fout gedacht.
''t Spijt me, schat, ik moet nog rapporten doorlezen. Dat had ik gisteren moeten doen, maar toen hadden we wat anders aan ons hoofd, niet?' Een zoen, dan stapt Sigrid snel uit. Ze grijpt haar tas van de vloer en gooit het portier dicht. De knal spreekt voor zich.
Luid toeterend rijdt Jeroen weg.
Sigrid heft haar hoofd op en nog voor de auto op de hoek van de straat is, staat ze al met de sleutel in de hand.
Het was me de zondag wel! Die gedachte blijft de rest van de dag door haar hoofd spoken.

3

SIGRID KRUIPT DIE AVOND VROEG IN HAAR BED. HAAR OUDERS ZIJN OP VISI-te en dat komt haar goed uit. Ze moet er niet aan denken dat ze haar vader en moeder op de hoogte zou brengen over het gedrag van Jeroen waar ze zich aan ergert. Natuurlijk houdt ze van hem, liefde kan wel tegen een stootje.

De volgende dag is haar ergernis geslonken, er zijn andere zaken die haar bezighouden.

Voor de laatste keer moet ze de decemberetalages maken. Met een wee-moedig gevoel rijdt ze in haar mini richting winkelcentrum. Als ze zich naar de personeelsingang spoedt, wordt ze af en toe staande gehouden door andere medewerkers. De stagiaire staat al te wachten. Een opge-wekte jongeman van wie de ouders een kleine winkelketen hebben. Ze vinden dat hun zoon ervaring moet opdoen bij vreemden, niet thuis waar hij 'de zoon van' is. Bovendien staan ze erop dat hij alle facetten van het winkelbedrijf nader leert kennen. Hoe het is om als werknemer te functioneren. Sigrid is van die feiten op de hoogte en nadat ze haar jas en tas naar de garderobe heeft gebracht, heeft ze in haar hoofd al een lijstje met opdrachten.

'Het is zo dat december wat etalage betreft een lastige maand is. Het publiek verwacht van ons dat ze op 6 december al het sinterklaasspul onzichtbaar hebben vervangen door kerstdingen. Dat gaat natuurlijk niet een-twee-drie... Daarom zorg ik er altijd voor dat de achtergrond en alles eromheen, de basis zal ik maar zeggen, winters is. Zodat je niet voor Kerstmis opnieuw moet beginnen. Natuurlijk hebben we zelden een witte decembermaand. Maar dat neemt niet weg dat we wel illu-sies kunnen scheppen. Namaaksneeuw en dennengroen kunnen ook al met sinterklaas, allemaal nostalgie.'

De jongeman popelt om aan het werk te gaan. Hij knikt, wappert al bedrijvig met zijn handen. 'Zeker eerst de huidige etalage ontruimen? Het moet eerst slechter worden voor het beter wordt.'

Hij grijnst over een schouder. 'Dat zeggen mijn ouders bijna dagelijks.

Best fijn om even in een andere omgeving te zijn.'

Sigrid leeft met hem mee en vertelt waar de laatste herfstspullen opgeborgen moeten worden. 'Op de dozen schrijven we wat erin zit, in het magazijn heb ik een hoek met een bordje HERFST. Overmorgen brengen we de sintdingen weg – tussen haakjes, voorzichtig met de Sint zelf, hij is al eerder in twee stukken gebroken – en na het schoonmaken halen we de kerstspullen. Als jij nu uit het magazijn vast dozen haalt? Je kunt daar ook de karren vinden waarop de boel verplaatst moet worden.'

Af en toe onderbreekt Sigrid haar bezigheden, ze wordt nogal eens door medewerkers aangesproken. Algemeenheden worden uitgewisseld. Hoe was je weekend? Plannen voor de feestdagen? Halverwege de ochtend spreekt de afdelingschef haar aan. 'Het staat dus vast dat je per 1 januari stopt? Ik blijf het jammer vinden. Waar ga je ook weer wonen na je huwelijk? Juist, Limburg... dat is inderdaad te ver om dagelijks heen en weer te rijden.'

Sigrid vertelt over de nieuwe woonplaats waar ze doorheen gereden zijn. En over het huis, dat wel naar haar zin is. 'Maar het zal wel wennen zijn. Om te beginnen is het net of je in het buitenland bent. Het dialect daar is voor ons bijna niet verstaanbaar. Maar gelukkig heb ik een talenknobbel.'

Dan de vraag wat ze denkt van de ijverige jongeman die stage loopt. 'Vlot van begrip en zijn handen staan niet verkeerd.'

De chef knikt. 'Relatie van de baas. Niet hij, maar zijn pa. Denk je dat hij in staat is je werk over te nemen? Hij is bijna klaar met de vakschool. De persoon die jij destijds bent opgevolgd, had artistieke kwaliteiten maar heeft nooit ofte nimmer de opleiding gevolgd die nu vereist wordt.'

'Zo gaan die dingen,' lacht Sigrid.

De chef wijst op de etalage. ''t Wordt goed, ik ben die sinterklaasprullen meer dan beu.'

Sigrid is het met hem eens en knelt een kunstkerstboom tegen zich aan. 'Nog even en je zegt hetzelfde tegen deze groenling.'

Lachend gaan ze elk huns weegs en Sigrid denkt: wat zal ik dit werk ontzettend missen!

Nog voor sluitingstijd zijn de meeste etalages klaar, dankzij de nieuwkomer. In een ervan staat een knikkende kerstman, die een Sinterklaas een hand probeert te geven. Ten afscheid. De tweede is omgetoverd tot een spoorwegemplacement. Kinderen drukken hun neus tegen de ruiten om de rijdende locomotief met wagentjes goed te kunnen zien. Ook hier een kerstman, die breed lachend in een wagon zit, omringd door pakjes.

Halverwege de dag heeft Sigrid zich omgekleed in haar werkoverall, vanwege de plakkende kunstsneeuw die hardnekkiger is dan echte.

'En, hoe vond je het om een etalage te maken?' informeert ze bij de jongeman.

Hij straalt. 'Ik vond het tof. Mijn vader zal wel zeggen: je toekomst is boven, in het kantoor! Maar als het aan mij ligt...'

Sigrid knikt hem warm toe. 'Dat begrijp ik helemaal. Cijfertjes hebben niets van doen met creativiteit. Maak dat je pa maar duidelijk.'

Thuisgekomen staat, zoals gewoonlijk, de warme maaltijd op tafel. Sigrid beseft dat ze verwend is. Haar natje en droogje worden automatisch geregeld. En sparen kan ook, want haar ouders vinden kostgeld dwaasheid. 'We hebben het niet nodig, schat.'

Wat zal haar leven veranderen!

Eenmaal aan tafel vertelt ze uitgebreid over de afgelopen dag. De zoon van een of andere baas die het etaleren onder de knie moest zien te krijgen, de gesprekjes met medewerkers en de blije snuitjes van passerende kinderen.

'Mijn laatste etalage. Dat doet me toch wel wat.'

Tijdens het dessert informeert haar moeder naar het bezoekje aan Jeroens ouders.

'Het zijn aardige mensen. Allebei. En laat Jeroen nu toch vergeten zijn dat het uitgerekend gisteren hun trouwdag was! We gingen een stukje lopen en bij thuiskomst bleek de kamer vol te zitten met ooms en tan-

tes. Ik schaamde me echt, Jeroen niet. Dat vond ik pijnlijk!'
De ouders luisteren zwijgend, en schudden dan gelijktijdig hun hoofd-
en.
'Die jongen moet het eens rustiger aan doen. Hij jaagt door het leven.
Hopelijk brengt het huwelijk hem tot rust.' Er klinkt ongerustheid
door in de stem van de moeder.
Sigrid lacht gemaakt. 'Wat dacht je van de macht van een vrouw? Ik sta
mijn mannetje echt wel, als het erop aankomt, mam.'
Wat Anja doet denken: ik hoop het.

's Avonds belt Jeroen.
'Meid, ik ben benaderd door iemand van een tv-programma. Ken je
dat: *Mensen zoeken mensen van toen*. Zoiets heet het, vraag me niet waarom. Wie zou mij zoeken? Enfin, afwachten maar.'
Sigrid is, om een reden die haar niet duidelijk is, ontstemd over de uitnodiging. 'Ga je er dan wel op in? Het is toch geen moeten? Wie weet
waar ze je mee overvallen!'
Jeroen lacht haar uit, hij zegt wel van een beetje spanning te houden.
'En dan nog wat: een bevriend echtpaar – jij kent ze niet – heeft ons
meegevraagd op wintersportvakantie. Ze hebben zelf een klein chalet
en het lijkt mij wel wat. Zo is er geen gezeur bij wie we de kerstdagen
moeten doorbrengen. Je kent mijn ouders en hun strakke ideeën. En ik
moet er ook niet aan denken de hele dag bij jou thuis op de bank te
moeten zitten. Jammer dat jij niet wilde dat ik ergens een huisje voor
ons besprak... We kunnen niet doorgaan met rekening-houden-met.
Snap je dat een beetje, schatje?'
'Néé!' roept Sigrid gefrustreerd. 'Wat is nu belangrijker dan tradities, de
warmte uit een gezin, vaste punten in het leven? Jij loopt voor alles weg
en wilt constant met nieuwe dingen bezig zijn.'
Dat is juist gezegd, vindt Jeroen. 'Ik wil niet vastroesten.'
Dolgraag wil Sigrid meer weten over het programma waar Jeroen het
over had. Ze zoekt op 'Uitzending gemist' en wat ze ziet verontrust
haar. Een jonge zeeman die het liefje van vroeger niet kan vergeten, een

bejaarde vrouw die dolgraag de familie wil terugvinden bij wie ze in de oorlog heeft ondergedoken gezeten, en tot slot een echtpaar dat op zoek is naar de biologische familie van de man.

Sigrid moet toegeven dat de presentatrice haar vak goed verstaat. Ze weet de verhalen uit de gasten te trekken, zet ze in een bepaald licht zodat ze precies bij het thema van het programma passen.

Het idee dat Jeroen binnenkort op een van de gastenstoelen zit! De vraag is: wie is naar hem op zoek en waarom?

'Uit met de kerstdagen? Dat meen je toch niet?' Dat is de reactie van Anja en Frits. 'Je laatste Kerstmis thuis!'

Dát is het. Sigrid vindt dat ze met die kreet een vuist kan maken. Niks geen chaletje in duiken met mensen die ze niet kent. De laatste Kerstmis thuis. Die laat ze zich niet afpakken, zeker niet door Jeroen. Hij mag dan niet zo'n hechte band met zijn ouders hebben, zíj, Sigrid, heeft die wel.

'Dus je verplicht mij die vakantie af te zeggen? Weet jij wel hoe hard ik werk, hoeveel uren ik per week maak? Ik wil even weg van de stress, de vergaderingen, het constant alert zijn, heel de werksfeer, en als ik thuisblijf, duik ik zo weer in de papieren, want klaar ben ik nooit!'

Sigrid houdt voet bij stuk.

'Dan ga jij maar alleen, Jeroen. Ik houd rekening met mijn ouders. Jij niet. Enfin, je ziet maar.'

Doodmoe wordt Sigrid van de woordenwisseling. En daar niet alleen van. Afscheid nemen van haar werk is één, maar daar komt veel bij kijken. Alles moet zorgvuldig worden overgedragen aan haar opvolger. Nerveus is ze ook: in de wandelgangen heeft ze opgepikt dat er voor haar iets georganiseerd wordt, een afscheidsborrel die samen zal vallen met het feestje dat traditiegetrouw de laatste werkdag voor kerst plaatsvindt. Het is niets voor haar om in het centrum van de belangstelling te staan. Bovendien weet ze dat Jeroen zich aan het voorbereiden is op zijn skivakantie. Zonder haar, dat steekt enorm. Afscheid nemen doet hij per sms-berichtje. Dat steekt nog méér. En dan, als 'verrassing' nóg een berichtje: hij is ondertussen naar de opnamen geweest van het programma *Mensen zoeken mensen van toen.* Hij is er erg door verrast. 'Neem het programma maar voor me op en zeg alsjeblieft niets tegen mijn ouders.'

'Dat jij je dat laat welgevallen, Sigrid. Jeroen solt met jou.'

Sigrid schokschoudert. Ze is niet van plan om Jeroen af te vallen.

'Hij leeft in een wereld die een beetje van die van ons verschilt, mam. Toch passen we goed bij elkaar. Ik denk dat we na ons huwelijk naar elkaar toegroeien. Zo gaat dat toch?'

Sigrid vraagt zich af waar haar moeder op aanstuurt. Wat is haar wens? Dat ze het uitmaakt, vlak voor de geplande trouwdatum? Ze is vast van plan begin januari te gaan shoppen voor een bruidsjapon. Als die maar alvast in de kast van haar kamer hangt, dan komt de rest ook wel goed.

Tijdens de kerstbijeenkomst in de kantine, op kerstavond, krijgt Sigrid inderdaad de nodige aandacht. Een enveloppe van de directie en een prachtige glazen vaas van het personeel. Wat het leuke daarvan is, is dat een graveur de namen van de collega's op de afdeling erin heeft gegraveerd.

'Niet stuk laten vallen! Hij is niet te lijmen,' plaagt iemand.

Sigrid laat duidelijk merken dat ze maar wat blij is met de cadeaus. Ze heeft dan ook beide handen vol als ze haar boeltje bijeenpakt om naar huis te rijden. Er zijn meer handen nodig dan die van haarzelf om alles in de kofferbak te krijgen.

Haar laatste dag in het warenhuis. De dagen tot nieuwjaar heeft ze vrij genomen, vakantiedagen had ze nog genoeg over.

'Zo, jij bent verwend. Nog meer voor in de logeerkamer. En hoe voelt het nu?'

Beide ouders helpen met het naar binnen brengen van de spullen.

Sigrid krijgt het opeens te kwaad. Ze doet haar best de opkomende tranen terug te dringen, wat bepaald niet lukt.

'Het is zo raar... Dat afscheid, de vriendelijke woorden die echt gemeend klonken... Zo definitief allemaal! Iemand zei...'

Ze bewerkt met de inderhaast toegestoken zakdoek van haar vader haar natte wangen. 'Iemand zei: "Nu kun jij je voorbereiden op je huwelijksdag." Het voelt net of ik over een sloot moet springen die te breed is!'

Haar vader plaagt: 'Fierljeppen, zo noemen ze dat in Friesland. Een lange stok, terwijl je springt moet je zien hoger en hoger te klimmen en dan is het de bedoeling zo ver mogelijk terecht te komen. Bedoel je zoiets?'

'Malle papa. Wat een vergelijking. Maar wel treffend. Alleen kan ik die stok nergens vinden.' En dan zijn de tranen niet meer te houden.

'Je had toch met Jeroen mee moeten gaan, meisje. Lekker op vakantie, er even uit.'

Sigrid herpakt zich weer. Ze recht haar schouders.

'Ik ben gewoon een beetje moe. De laatste dagen heb ik hard gewerkt. Ben ik even blij dat ik niet verantwoordelijk ben voor het aftuigen en opruimen! Dat mag mijn opvolger doen. Ik laat me lekker door mam verwennen.'

Aan moeder zal het niet liggen.

De eerste kerstdag verloopt zoals andere jaren. Kerkgang, napraten met medegelovigen. En met de mooie liederen nog in het hoofd keert de familie huiswaarts.

Bij de koffie gebak van de beste bakker die de stad rijk is. Voor het warme eten een klein glaasje dat door Frits zorgvuldig is uitgezocht. En de warme maaltijd is bijzonder feestelijk. Rollade, precies goed gebraden, en verschillende groenten, gebakken aardappels en een saus waarvan Anja Berkhout het geheime recept heeft.

's Middags komen een paar bejaarde mensen uit de buurt op de thee. Later maken de ouders en hun dochter een wandeling door het mooi aangelegde park, in de buurt van hun huis.

Zo kabbelt de eerste kerstdag voorbij.

Op de tv is niet alleen een feestelijke kerkdienst te zien, ook laten koren zich van hun beste kant zien en horen.

Later, in bed, vraagt Sigrid zich af waar ze zo moe van is geworden.

Eigenlijk heeft ze zich nergens voor hoeven inspannen.

Natuurlijk steekt het dat Jeroen niet even heeft gebeld. Dat is ze niet van hem gewend. Meestal is hij attent. Ze vraagt zich af of hij nog steeds nijdig is dat ze zich tegen een vakantie verzette.

Er is nog iets wat haar gedachten bezighoudt: op tweede kerstdag komt het programma op tv waaraan Jeroen heeft meegewerkt. *Mensen zoeken mensen van toen.*

Veel heeft hij niet over de programmainhoud verteld. Niets voor hem, want Sigrid is wel zo eerlijk zichzelf te bekennen dat Jeroen graag in het middelpunt van de belangstelling staat.

Het programma wordt tegen de avond uitgezonden. Het schemert buiten, binnen zijn de kaarsen aan en ook de kunstkerstboom is een bron van licht in de kamer.

Sigrid en haar ouders gaan ervoor zitten, koffie en cake binnen handbereik. Het gebeurt niet zo vaak dat je een bekende op de buis ziet!

Sigrid merkt dat ze gespannen is, haar tenen zijn gekromd. Waar is ze toch bang voor?

De programmaleidster vertelt dat de filmpjes weliswaar niet met kerst zijn opgenomen, toch hebben ze voor een bepaald sfeertje gezorgd. Ze grabbelt een kerstmannenmuts van tafel en plant die op haar hoofd.

'Dat moet humor zijn, tegenwoordig,' moppert de vader van Sigrid.

'Stil nou, pa, als je blijft praten missen we de helft.' Sigrid verslikt zich in haar koffie.

'Jeroen is fotogeniek, hij zal het ook wel goed op de film doen,' veronderstelt Anja.

'... dus gingen we op stap. Naar Noord-Holland. Een zomervakantiegebied. Volgens onze eerste gast is er in de winter niet veel te beleven. Koud is het hier ook, de wind komt pal uit het westen. Ik loop nu naar het huis van Jeanette Volkers. Zij is in dit huis geboren en getogen. Toen haar ouders naar een aanleunwoning gingen, trok Jeanette erin, samen met haar toenmalige vriend. Nu woont ze er alleen.'

Een druk op de bel, waarop de deur openschiet.

Sigrid houdt haar adem in. Jeanette Volkers, iemand uit de jeugdjaren van Jeroen. Een beeldschone jonge vrouw. Pikzwart haar, ogen iets schuin. Zo te zien heeft ze Javaans bloed in de aderen. Ze is eigentijds gekleed en met haar figuur kan ze alles dragen, zelfs een kort rokje boven een legging van dezelfde kleur.

De vrouwen begroeten elkaar alsof ze goede bekenden zijn. Sigrid neemt aan dat de voorbereidingen voor een band hebben gezorgd.

Een praatje bij de open haard in een modern ingerichte kamer. Dan worden de jassen aangetrokken en kan het verhaal beginnen.

Praten kan ze, die Jeanette Volkers. En charmant is ze ook, echt een meid van deze tijd. Zwart haar met lichtere strepen – duidelijk kapperswerk. Het hangt tot halverwege de rug. Bescheiden maar deskundig opgemaakt. Sigrid signaleert het allemaal in een paar seconden.

Na een kort gesprekje gaat het gezelschap naar buiten, de kille wind in. En Jeanette blijft maar praten. 'Daar, de school waar ik op heb gezeten. En ginds was een winkeltje waar we kauwgom kochten. Ze deden hun best de sfeer van een ouderwets dorpswinkeltje uit te stralen. We waren goede klanten, mijn vriendje en ik.'

Nu zijn ze beland waar ze willen zijn. Bij het vriendje van toen. Hoe oud ze waren?

Jeanette schatert. 'Dat moet je in stukken zien. Eerst vanaf de zandbak tot een paar jaar basisschool, tot de jongens meisjes stórn begonnen te vinden, en ze zich schaamden als ze met een vriendinnetje gezien werden. Tweede episode: naar de brugklas. Toen was het weer áán. Een paar jaar dikke pret. Opeens ging het uit, toen we vlak voor het examen zaten. Jongens, als ik daaraan terugdenk!'

Een veelbetekenende blik die niets te raden overlaat.

Ondertussen zijn ze halverwege de strandopgang. Daar blijft Jeanette staan. 'Hier kropen we onder het prikkeldraad door naar een speciale duinpan. Het werd ons plekje, begrijp je? We studeerden daar, dronken cola en maakten zakken chips soldaat... en de rest.'

Het lijkt de dame van de tv geen goed idee om onder het prikkeldraad door te kruipen, ze gelooft het zo ook wel.

'Wat zou je zeggen als je het vriendje weer zag?'

Jeanettes donkere ogen schitteren. 'Vragen hoe goed zijn geheugen is, misschien? Ik weet het niet. Maar leuk zou ik het zeker vinden.'

'Dan is het nu tijd voor de verrassing. Maar we kruipen niet onder de afzetting door, we lopen netjes via het strand.'

Het volgende beeld, dat Sigrid goed kent: het pad dat door de duinen naar de luwe plek voert. En daar staat niemand minder dan Jeroen. Gekleed in een trui die Sigrid niet kent, een lange sjaal om zijn hals waar de wind vrijelijk mee stoeit. Zelfs zijn toch niet lange haar doet mee. Handen in de zakken van zijn ribbroek, voeten gehuld in korte laarzen, stevig uit elkaar geplant in het zand. Hij maakt de indruk van: zie mij hier staan, wie doet me wat!

'Nee maar!' roept Sigrids moeder, ze gaat er kaarsrecht voor zitten. 'Die Jeroen, heeft hij je dit verteld, Sigrid?'

Sigrid schudt haar hoofd, ze kan haar ogen geen seconde van de beeldbuis afwenden.

'Jeroentje!' Jeanette maakt zich los van het filmend gezelschap en rent naar Jeroen toe, die op het laatste moment zijn armen wijd spreidt en haar opvangt, in de rondte tolt om uiteindelijk in het kleffe zand te belanden.

Ze roepen dwaze dingen, zo van: jij bent niets veranderd, en: weet je nog dit en dat.

'Hij zou zich moeten schamen!' vindt Sigrids vader. Sigrid buigt zich naar voren, als kon ze op die manier Jeroen dwingen om door de beeldbuis te stappen en zich op háár persoontje te concentreren.

Jeanette kust Jeroen op een manier die niets te raden overlaat. Sigrid kan het niet langer aanzien.

'Dat hij zich laat meeslepen... ik ben vergeten om het voor hem op te nemen. Nou ja, dan kijkt hij maar via 'Uitzending gemist'. Ik hoop dat zijn ouders niet kijken. Als je niet wist dat hij op het punt van trouwen staat, zou je het een leuke uitzending vinden.'

Sigrid klinkt verdrietig en zo voelt ze zich ook. Is er nog toekomst voor hen beiden?

Nog voor de uitzending ten einde is, grijpt Anja de afstandsbediening en klikt ze een ander programma aan. '*Wonderful life*, laten we daar nog maar eens naar kijken. Helemaal actueel, problemen met banken en geld in het algemeen. Echt een kerstkraker.'

Alle drie kennen ze het zwart-witverhaal. James Stewart die de held is. Sigrid doet net of ze geboeid is. In werkelijkheid ziet ze maar één ding: Jeroen die een oude liefde in zijn armen sluit.

En heel, heel gelukkig lijkt.

4

OP NIEUWJAARSDAG KOMT EINDELIJK HET FELBEGEERDE TELEFOONTJE. EEN uitgelaten Jeroen, die haar een gelukkig nieuwjaar wenst. Hij heeft een valpartij overleefd, maar skiën is er helaas niet meer bij. Maar geen ramp: hij is in prima gezelschap. En o ja, heeft Sigrid nog naar *Mensen zoeken mensen van toen* gekeken? Opgenomen? Niet? Dom. Of Sigrid zich een beetje amuseert, deze dagen?

'Prima, Jeroen. Allemaal leuke dingen gedaan. Zoals je weet ben ik vrij, geen etalages meer voor mij.'

Het gesprek loopt dood en met een onbevredigd gevoel gaat Sigrid op haar kamer zitten tobben.

Het gaat fout met de relatie. Waarom heeft ze dat niet eerder gezien? Niet willen zien?

Onverwacht wordt ze gebeld door de moeder van Jeroen. Nee, ze hebben geen kaarten gestuurd, daarom een belletje. Heeft Sigrid ook het programma gezien waar Jeroen aan meedeed? Wist ze ervan?

'Kind, dat hij zich zo heeft laten gaan met die Jeanet. Jeanetje Volkers. De een is nog niet uit beeld of ze heeft weer een ander. Zo gaat dat bij haar en let op: nu heeft ze haar zinnen op onze Jeroen gezet. Laat je niet pakken, Sigrid. We zijn zo blij met jou... dat weet je toch?'

Sigrid voelt hete tranen langs haar wangen glijden.

'Ik zal jullie zo missen, moeder van Jeroen. Het gaat niet goed meer tussen ons, ik heb het nu duidelijk gezien en beseft. Wat we samen hadden, is weg. Zomaar weg, als een ballon die leegloopt. Ik houd de eer aan mezelf, ik zeg hem in te zien dat de koek op is. Dat heb ik altijd een vreselijke uitdrukking gevonden, en nu zeg ik het zelf!'

De moeder van Jeroen houdt het ook niet droog. Ze breekt het gesprek af na gezegd te hebben dat ze hoopt en bidt dat het tij zich zal keren. Ja, dat is haar wens.

Nieuwjaarsdag brengt de nodige drukte met zich mee. Bekenden wippen even aan voor de beste wensen. De voorraad oliebollen slinkt.

Pas als het laat op de avond rustig is, met af en toe een knalletje buiten, heeft Sigrid de kracht om haar ouders in te lichten over wat er in haar omgaat. 'Ik houd de eer aan mezelf, pap, mam. Niet dat mijn liefde voor Jeroen zomaar over is, maar ik heb hem als het ware met de ogen van een buitenstaander gezien. We passen niet echt bij elkaar. Dat meisje, die Jeanet, die wel. Veel vlotter dan ik, een trendsetter. Het doet alleen zo ontzettend zeer! Stel je voor dat ik getrouwd zou zijn en hem dan zou zien flirten met een jeugdvriendinnetje. Dan was er voor mij geen weg terug. Nu nog wel... Ik schrijf hem een brief en gooi die op de post. Zijn reactie? Opgelucht, misschien? Ik weet het niet meer...'

De ouders weten niet goed hoe te reageren, nu hun dochter verwoordt wat ze zelf al zo lang in gedachten hadden. Tot vader Frits met een dikke stem zegt dat Sigrid zelf het best weet wat goed voor haar is.

Sigrid knikt, ze loopt naar de deur. 'Ik schrijf de brief meteen en breng hem weg. Jullie twee alvast welterusten.'

Ze horen haar de trap op roffelen en hun hart breekt bij de gedachte hun enig kind zo ongelukkig te weten.

Anja huilt stilletjes. Frits pakt haar hand. 'Dit zal slijten, lieverd. We kunnen niets voor haar doen. Alleen er voor haar zijn. Jeroen... die mogen we niet zwartmaken, dat is onverdraaglijk voor haar. Op ons kan ze altijd terugvallen. Het komt wel goed met Sigrid...'

Anja drukt de hand van haar man tegen haar gezicht, ze veegt er de tranen mee weg. 'Vast wel. Maar nu is nú!'

Zwijgend voelen ze hetzelfde verdriet. Ze horen hoe Sigrid het huis uit loopt, tien minuten later is ze terug en het is duidelijk dat ze geen behoefte heeft om erover door te praten.

Over één ding zijn de ouders het eens: Sigrid moet een nieuw doel in haar leven krijgen. Ook al zouden geen van beiden op dit moment weten hoe dat in te vullen.

Terwijl Sigrid doelloos door het huis zwerft, als was ze zoekend, is haar moeder nog bezig met het beantwoorden van de nieuwjaarspost. Ze controleert of er nog adressen tussen zitten die zijzelf is vergeten. 'Kijk nou toch, Sigrid.'

Sigrid keert zich langzaam om van het raam vanwaar ze zonder iets in zich op te nemen naar buiten stond te staren. Kon ze maar naar haar werk, was ze maar niet zo resoluut geweest met het opzeggen van haar baan.

'Hm?'

'Een mooie kaart, van onder tot boven beschreven en er staat boven: Lieve Frits, je zult je mij wel niet meer herinneren. Ik heb je voor het laatst gezien toen je van de middelbare school af kwam en er bij jou thuis een feestje was.'

Moeder en dochter kijken elkaar aan.

'Ik zou niet weten wie die schrijver of schrijfster is. Een vrouw... Ada Berkhout. Dus familie van papa. Even verder lezen!'

Ada Berkhout vertelt dat ze het adres via internet heeft gevonden. Er volgt een loftuiting aan het moderne communicatiemiddel. 'Dat ik op mijn oude dag daar nog aan begonnen ben, er ging een wereld voor me open.'

De twee moeten wachten tot Frits van een lange wandeling thuiskomt.

'Pap, wie is Ada Berkhout?'

Frits graaft in zijn geheugen. 'Eh... dat was een zuster van mijn opa van vaderskant. Geloof ik. Of een nicht... Die zal wel niet meer leven. Zag je een rouwadvertentie of zo?'

De kaart gaat van hand tot hand.

Sigrid doet alsof het haar echt interesseert, wat niet het geval is. Jeroen, Jeroen... wanneer zou hij ook alweer thuiskomen? Zou de brief hem verrassen? Wat zal zijn reactie zijn?

'Ik weet het weer. Zeker weten, ze is een oudtante van me. Internet, hè? Tja, wat je daar al niet op kunt vinden. Liever gezegd: wél kunt vinden. Wat wil ze?'

Anja denkt dat tante Ada eenzaam is. 'Bijna alle alleenstaande oudere mensen zijn eenzaam. Ook al zijn ze niet alleen.'

Frits knikt. 'Zo heet het boek dat destijds door prinses Wilhelmina is geschreven. *Eenzaam, maar niet alleen.* Je vermoedt maar wat, Anja. Ze kan wel volop in het sociale leven zitten. Als ze maar niet denkt dat ik reageer.'

'Zielig. Een kaartje kan er toch wel af?'

Sigrid wijst op de kleine lettertjes, onder aan de kaart. 'Ze heeft een e-mailadres. Kleine moeite om te mailen dat de kaart een verrassing was.' Dat is dan een leuk karweitje voor Sigrid.

Ze neemt de kaart mee naar boven, legt hem op haar bureau en vergeet hem dan totaal. Er is maar één ding dat haar bezighoudt. Beter gezegd: één persoon. Jeroen en nog eens Jeroen.

Oud en nieuw zijn al bijna vergeten als er een reactie komt. Een sms'je: of Sigrid tussen de middag met hem wil lunchen. Tijd en plek geeft hij duidelijk aan. Tja, Jeroen kennende weet Sigrid dat hij altijd krap in zijn tijd zit. Ze moet het dan ook niet wagen te laat te komen. Beter te vroeg, en natuurlijk gáát ze!

Ze kan de afstand te voet afleggen, een wandeling doet haar goed. Het is bitterkoud, de wind bijt in haar gezicht. De hakken van haar laarzen klinken luid en regelmatig op. Net een hartslag.

Het cafeetje kan ze blindelings vinden, ze hebben er zo vaak een hapje gegeten of 's avonds wat gedronken.

Hoewel ze aan de vroege kant is, blijkt Jeroen haar toch voor te zijn. Hij zit vlak bij het raam in een krant te bladeren.

Sigrid vermant zich. Wat is dit moeilijk! Wat doet het pijn. Zelfs lichamelijk. Alsof ze zware griep heeft gehad.

Jeroen is goed verkleurd, ze ziet het al van buiten.

Met de moed der wanhoop duwt ze de zware deur open en wikkelt ze de lange sjaal af. Het is warm binnen, het ruikt naar bier en erwtensoep. Haar maag maakt een sprongetje van tegenzin.

Jas ophangen aan een wankele kapstok, de sjaal houdt ze bij zich.

'Dag Jeroen.'

Gelukkig, ze zít. Haar bevende benen weigerden nog net niet hun dienst.

'Sigrid!' Jeroen springt op, hij begroet haar met een kus op de wang. Dan wenkt hij naar het meisje van de bediening dat bedrijvig rondstapt. 'Twee koffie, Dineke.'

Sigrid doet haar best haar ademhaling te beheersen. Geleidelijk aan wordt ze rustiger. Ze zitten tegenover elkaar zoals dat zo vaak het geval is geweest. Is dit heus de laatste keer?

Dineke zet met een zwierig gebaar de koffie voor hen neer. Een stralende glimlach en weg is ze.

'Die brief van je... was dat naar aanleiding van de uitzending?'

Jeroen kijkt haar strak aan en Sigrid dwingt zich terug te kijken. Naar de punt van zijn neus, die aan het vervellen is. Zijn ogen mijdt ze.

Ze knikt. En drinkt van de koffie. Het bijgeleverde koekje verpulvert ze met haar vingers.

'Daar was ik al bang voor. Maar begrijpen doe ik het wel. Ik heb de uitzending niet gezien, maar ik kan me voorstellen hoe het is overgekomen. Mijn ouders hebben ook al gereageerd en je wilt niet weten hoe! Ik kan beter de eerste weken niet naar de kust rijden. Tenminste: niet om hen te bezoeken. Welkom ben ik voorlopig niet.'

Er valt een stilte tussen hen, ze luisteren beiden naar de geluiden rondom hen. Lachen, geluiden van bestek en aardewerk. Soms een te harde stem, een huilende baby.

Sigrid slikt. 'Daar kan ik me wel iets bij voorstellen. Het was echt zo'n verhaaltje van: wordt vervolgd.'

Jeroen knikt heftig, hij drinkt zijn koffiekopje in één keer leeg. 'Dat heb je goed gezegd. Zo is het ook. Tegen jou wil ik duidelijk zijn, Sigrid. En vooral eerlijk. Daar heb je recht op...'

'Houd het kort!' zou ze willen roepen en wel zo hard dat al het andere rondom hen heen stilvalt.

'Toen ik Jeanetje terugzag, na al die jaren, vielen mij de schellen van de ogen. We hadden elkaar nooit en nooit los moeten laten! Wel... jij wilde niet mee skiën, terwijl dat misschien de enige kans was geweest om elkaar weer nader te komen. Enfin, ik was behoorlijk nijdig, ik voelde me afgewezen door jou. En toen Jeanet mailde dat ze tegen de kerstdagen opzag, heb ik háár meegevraagd. Zo is het gekomen.'

Jeroen veegt over zijn voorhoofd.

'Alles viel op zijn plaats. Ik kan niet anders. Ik wil met haar verder, dat heb je goed begrepen. Je was me voor, Sigrid. Anders had ik vandaag tegen je gezegd...'

Sigrid schuift haar koffiekopje van zich af en staat op. Ze spant al haar spieren en duwt zich van de tafel weg. 'Dat was het dan, Jeroen. Wel, ik hoop voor je dat Jeanette het leuk vindt in Limburg. Adieu!'

Ze pakt schijnbaar beheerst haar jas van de wankele kapstok en trekt hem al lopend aan. Eenmaal buiten vinden haar bevende vingers de knopen en knoopsgaten. Niet weer langs het raam, ze loopt met opgeheven hoofd de andere kant op.

Tijden later vindt ze zichzelf terug in een park, vlak bij huis. Ze laat zich op een bankje zakken en eindelijk komen de tranen. Een kerstbal die aan stukken valt, zo voelt het. Liefde, een weggevlogen ballon. O, wat is ze goed in het weergeven van gevoelens. Vindt ze zelf.

Ze veegt met de punten van haar sjaal langs haar ogen. Die nemen nu niet bepaald het vocht op. De koude wind maakt dat haar natte wangen aanvoelen alsof ze bevroren zijn.

Als ze nu naar huis gaat, zijn daar de troostende armen van haar moeder, maar ze wil niet getroost worden. Wat dan wel? Gillen, stampen, Jeroen luidkeels uitschelden. Reageren als een klein kind.

Maar nee, ze is volwassen, eenzaam en alleen op een bankje in een waterkoud park.

Geen spelende kinderen, moeders met kinderwagens of hondenuitlaters. Alleen een oudere heer loopt met gebogen hoofd en hoog opgetrokken jaskraag over de bevroren paden. Als hij Sigrid ziet zitten, zwaait hij met een gehandschoende vinger. 'Jongedame, je wordt ziek als je daar blijft zitten. Kom op, loop een stukje met me mee! Dan delen we ons leed.'

Ze doet het ook nog, opstaan. Haar benen weigeren aanvankelijk dienst. Ze beweegt zich moeizaam, maar de oude heer pakt haar arm. 'Is het dan zo erg, meisje? Natuurlijk gaat het om een man, dat is altijd zo op jouw leeftijd. Kom, geef me een arm, dan warmen we beiden wat op. Goed zo, het gaat al beter!'

Als twee bejaarde mensen lopen ze het pad af. Als twee bekenden.

Het pad mondt uit bij een bruggetje. Als bij afspraak blijven ze staan. 'Kind, alles gaat voorbij. Ook dat wat je nu voelt. Over geruime tijd lach je er zelf om. Jaja, dat ís zo, dat is als een wet. De tijd, hè, da's de beste pleister. Ik zou je van alles kunnen vertellen, maar daar is het te koud voor. Je moet naar huis en ik hoop dat er iemand is die jou verwelkomt?'

Sigrid denkt aan haar moeder en knikt. 'Mam.'

'Geweldig. Vallen, weer opstaan en doorlopen, meisje. Onthoud de wijze raad van een oude man. Gods zegen!'

Hij trekt zijn arm uit de hare, steekt het bruggetje over en vervolgt met gebogen rug tegen de wind zijn weg.

Sigrid kijkt hem na, ze voelt zich wonderlijk bemoedigd.

Een oude man. Een passant. Ergens naar op weg. Ze denkt aan de film die ze met Kerstmis gezien hebben. Aan de engel die daar een grote rol in speelde.

Ze zet zich in beweging, op weg naar huis. Misschien was deze man ook wel een engel.

5

SIGRIDS OUDERS MAKEN ZICH ONGERUST. HUN DOCHTER LIJKT ZICHZELF niet meer sinds haar laatste afspraak met Jeroen. Ze heeft daarover zo goed als niets verteld, dat is zo tegen haar gewoonte in.

Jeanette is in haar plaats met Jeroen mee geweest op wintersportvakantie, en wat zich daar heeft afgespeeld kunnen ze wel raden.

Het is zo spijtig dat Sigrid haar baan vroegtijdig heeft opgezegd. Terugkeren is onmogelijk. En vind maar eens in korte tijd werk als het hare in een middelgrote stad!

'Ze loopt zichzelf voor de voeten,' klaagt Anja tegen Frits. Hij bromt wat als antwoord, vraagt zich af hoe je dat zou moeten doen, jezelf voor de voeten lopen.

Maar dan komt hij op een idee. 'Tante Ada. Ada Berkhout. Ik vraag of Sigrid die oude dame per mail wil benaderen en een en ander over ons gezin wil vertellen. Dan heeft ze wat te doen.'

Anja trekt haar neus op. Corresponderen met een oude tante die je niet eens van nabij kent. Maar tot haar verbazing hapt Sigrid toe.

'Die oude tante van je, papa, zal wel moederziel alleen zijn. Toe, zoek haar eens op in dat oude fotoalbum van je. Dan kan ik me een beetje een voorstelling van haar maken.'

Foto's genoeg, al weet Frits van lang niet alle personen de namen. 'Mijn moeder had er tijdig voor moeten zorgen op te schrijven wie de personen zijn. Nu moet ik raden, maar tante Ada pik ik er zo uit. Een schooljuffrouw uit de oude doos. Met knotje en al.'

Moeder en dochter bestuderen de afdruk van jaren terug, toen Ada nog een jonge juf was.

'Doe me een plezier en mail haar eens, Sigrid. Ik heb er zelf niet zo'n slag van om huiselijke zaken weer te geven. Waarschijnlijk vindt ze het een geschenk uit de hemel!'

Gewapend met de nieuwjaarskaart én de oude foto nestelt Sigrid zich in haar bureaustoel. Niet denken aan de andere kant van de muur, waar haar uitzet staat. In dozen, sommige dingen in blauw papier dat zou helpen tegen verkleuren.

Even droomt ze weg, terwijl de computer gehoorzaam opstart.

Ze heeft een reeks mails binnen van kennissen die vernomen hebben dat de verkering uit is en de bruiloft afgelast. Die wil ze even niet lezen. Ze klikt op 'nieuw bericht'.

Dag tante Ada, u zult niet weten wie ik ben. Maar dat is snel verholpen... Haar vingers vliegen over de toetsen. Hoe verbaasd ze waren een kaart van haar te krijgen. *Vooral papa, die gelukkig meteen wist wie u was!*

Met een tevreden gevoel klikt ze op de knop 'verzenden'. Nu afwachten of tante Ada reageert!

En dat doet ze. Ze doet verslag van het dorpsschooltje waar ze jaren met plezier heeft gewerkt. Tot ze ziek werd, en het een haalde het ander uit. Ze werd opzijgeschoven, als een onbruikbaar ding.

Sigrid knikt en knikt tegen het scherm.

Afwijzing, dat heeft tante Ada dus ook meegemaakt, zij het op een andere manier.

Op het hoogtepunt van haar dieptepunt – Sigrid lacht hardop om die combinatie van woorden, maar ze begrijpt ze goed – tóen gebeurde er iets wat haar leven veranderde.

Ada is lang van stof maar schrijft zo levendig, dat Sigrid haar eigen problemen even vergeet.

Er kwam een nieuw benoemd onderwijzeresje bij me aan de deur, met een kerstbakje. Zoals gewoonlijk. Ik keek haar bijna weg, maar ze was zo lief. Susan Schutte, zo heet ze en nog niet zo lang geleden is ze getrouwd. Later meer daarover!

Ze monterde me op en niet veel later kreeg ik bezoek van de schooldirecteur die zijn spijt betuigde over de onsympathieke manier waarop ik was afgevoerd. En later kwam er een bestuurslid met dezelfde boodschap. Natuurlijk was er geen sprake van dat de zaak teruggedraaid kon worden, maar toch. Ik knapte ervan op! En daar bleef het niet bij, lieve achternicht. Maar het is beter dat ik iets voor de volgende keer bewaar.

Doe je ouders de groeten.

Sigrid print de mail uit en loopt ermee naar beneden.

'Wat een grappig verhaal!' vindt haar moeder. Haar vader zegt: 'Ik vind dat ze dapper overkomt, die tante van mij.'
Voor ze gaat slapen mailt Sigrid dat ze het geweldig vindt dat tante Ada over haar leven vertelt. *Mijn ouders wisten het ook te waarderen. Ik zal zien of ik wat geschikte foto's heb die ik kan mailen.*
Eenmaal in bed praat ze door tegen de onbekende tante.

Af en toe proberen Sigrids ouders hun dochter te stimuleren werk te zoeken. 'Het hoeft toch niet hier te zijn, in de wijde omgeving zijn warenhuizen genoeg. Bovendien zou je voor jezelf kunnen beginnen. Zo veel ervaring heb je wel.'
Sigrid begrijpt dat ze niet tot haar oude dag als een onmondig kind thuis kan blijven, steunend op haar ouders en voor een deel levend op hun kosten. Er zal iets moeten gebeuren. Maar wat?
Ze zoekt op internet naar vacatures, vindt hier en daar wel iets wat haar lijkt. Maar de ene keer is het in een stad waar ze niet wenst te wonen, een andere maal vindt ze de afstand te ver.
Eigenlijk zou ze graag nog een poosje thuis wonen, zodat ze kan sparen voor een eigen onderkomen. Maar sinds Jeroen uit haar leven is, lijkt alles zo vaag.
Als er een overlijdensbericht van Jeroens moeder komt, schrikt ze.
'Kijk nou toch, dat lieve mens... onverwacht gestorven. Wat zal haar man zich eenzaam voelen! Maar... ik moet er wel naartoe. Wat zal dat moeilijk zijn, mama!'
'Dan gaan we samen. Misschien is het wel goed dat je Jeroen onder ogen komt.'
Dat weet Sigrid zo net nog niet.
Ze doet haar beklag tegen tante Ada. Verkering uit, dat is al pijnlijk genoeg en nu vindt ze van zichzelf dat ze ook nog eens naar de begrafenis moet.
Ook tante Ada denkt dat het goed is om de feiten onder ogen te zien. *De gemakkelijkste weg is niet altijd de beste, Sigrid. Ik zal aan je denken!*
Het is een kille, maar zonnig winterdag als Sigrid met haar moeder op

pad gaat. Achter glas lijkt het een beetje lente, maar buiten valt de temperatuur goed tegen.

'Wat een schattig dorpje,' vindt Anja. 'Me dunkt dat het in de zomer een drukte van belang is.'

Sigrid knikt, ze kluift op haar nagels. Anja kijkt opzij, maar ze zegt er niets van.

De afscheidsdienst wordt in de kleine dorpskerk gehouden. 'Wat veel mensen!' schrikt Anja als ze met moeite een parkeerplaatsje vindt.

'Grote familie,' zegt Sigrid klappertandend. Straks zal ze Jeroens vader zien, en de familie die ze slechts één keer heeft ontmoet.

Achter in de kerk vinden ze een plekje.

Jeroens moeder wordt binnengedragen. Sigrid stelt zich voor hoe de vrouw daar ligt. Gevouwen handen en hopelijk een glimlach om de mond.

Jeroen en zijn vader lopen achter de baar, ze gaan voor in de kerk zitten.

Men heeft het gebouw overdadig met bloemen versierd. Veel witte rozen, anjers en lelies. De organist speelt goed, even later zet vanaf het balkon een koor in. Ze zingen een bekend lied, dat ieder in zijn hart kan meezingen.

Sigrid leunt tegen haar moeders arm aan. 'Als jij daar lag, mam, zou ik niet kunnen zingen.'

Anja pakt een ijskoude hand van haar dochter in de hare. 'Zover is het ook nog niet. Dat koor zingt geweldig!'

Sigrid weet dat Jeroens moeder er lid van was.

De predikant is kort van stof, hij nodigt al snel mensen uit om naar voren te komen om hun afscheidswoord uit te spreken. Jeroen is de eerste. Hij ziet er in zijn donker kostuum geweldig uit.

Opeens ontwaart Sigrid Jeanette Volkers, die vlak naast Jeroens vader zit.

Even dwalen Jeroens ogen over de kerkgangers. Hij ontdekt al snel Sigrid en haar moeder. Dan buigt hij zijn hoofd en schraapt zijn keel.

Hij is een goed spreker, weet Sigrid. Hopelijk meent hij wat hij zegt.

'Lieve moeder...'

Sigrid huilt.

Ze heeft echt van 'de moeder van Jeroen' zoals ze haar noemde, gehouden. Zomaar voorbij.

Na Jeroen komen mensen aan de beurt die Sigrid zich herinnert gezien te hebben. Iedereen is vol lof over de gestorven vrouw en ze wensen de weduwnaar sterkte, hij kan op hen rekenen.

Het koor zingt nog een keer en dan is de dienst voorbij.

'Wil je mee naar de begraafplaats?' vraagt Anja.

Sigrid knikt dapper. 'Daar is het condoleren, mam. In een aula, geloof ik. Ik moet door de zure appel heen bijten.'

Ze schuifelen met andere mensen mee naar buiten. Ze gaan te voet naar de begraafplaats die op loopafstand is. Sigrid klemt zich vast aan haar moeders arm.

De dominee wacht tot de gasten zich rondom het graf hebben geschaard en spreekt dan nog enkele persoonlijke woorden. Over het vaste geloof dat Jeroens moeder tekende. Hoe ze dat uitdroeg en ervan getuigde.

Jeroens vader huilt openlijk, zijn schouders schokken en Sigrid heeft intens medelijden met hem.

De begrafenisondernemer gaat het gezelschap voor naar de aula. De familie stelt zich op, Jeanetje stijf naast Jeroen.

'Koffie?' fluistert Anja in het oor van haar dochter.

Sigrid schudt haar hoofd. 'Straks, onderweg hier of daar.'

Als ze aan de beurt zijn denkt Sigrid: Ik voel me als een stenen pop. Als een beeld.

'Sigrid. Geweldig dat je er bent. Dat zal vader goeddoen. Het kwam zo onverwacht...'

Anja duwt haar dochter vooruit, zodat deze de weduwnaar kan condoleren. Maar eerst is daar Jeanetje die al weet wie Sigrid is.

Ondanks al het droevige rondom hen denkt Sigrid: wat is ze mooi, Jeroen jeugdliefde...

Ze omhelst Jeroens vader, geeft hem welgemeend twee zoenen op zijn schrale wangen.

'Heel veel sterkte! Ik...' Wat kan ze zeggen, wat troost op een moment als dit? Dan weet ze zeker: haar aanwezigheid. 'Ik zal voor u bidden, vader van Jeroen. Elke avond...'

Hij trekt de ex van zijn zoon tegen zich aan en bedankt haar geroerd. 'Zo goed om jou te zien. Moeder was gek op je, kind.'

Sigrid krijgt weer een por in haar rug en fluistert: 'Dat was wederzijds.' Een paar broers en zusters van de overledene krijgen een hand, dan is het voorbij. Anja trekt haar dochter mee naar buiten, de frisse lucht in. De zon begint al te zakken en een groep kraaien zoekt krijsend hun nachtverblijf op, hoog in een paar kale bomen.

'Wat was dat allemaal afschuwelijk. Weerzinwekkend... dood, afscheid... mam?'

Anja legt een arm om Sigrid heen. 'Wij hebben geleerd, kind, daar overheen te kijken. Wat is het een zegen als je kunt zeggen: Veilig in Jezus' armen. Dat zong het koor vol overtuiging. Zo'n simpel vers en zo oud al, maar het zegt ons veel, zo niet alles.'

Terug naar het leven.

Ze stoppen bij een wegrestaurant. Sigrid verslindt het broodje ham/kaas plus de koffie. 'Nu word ik eindelijk weer warm, mam. In ieder geval heb ik tante Ada heel wat te vertellen!'

Sigrid is verbaasd over zichzelf: aan de onbekende tante Ada kan ze zonder schroom alles wat haar bezighoudt kwijt. Alsof Ada Berkhout op mail zit te wachten, zo rap krijgt ze antwoord.

Jaja, ze begrijpt heel goed dat niet alleen de begrafenis aangrijpend was, maar ook de ontmoeting met de ex.

Probeer die man toch uit je hoofd te zetten, lieve kind. Waarom breek je er niet even uit? Op vakantie? Lekker rustig, midden in de winter.

Sigrid droomt mee met tante Ada: wandelen over een wit strand, wuivende palmen. En een branding van jewelste. Of naar de sneeuw, dat zou dichter bij huis zijn. Helaas heeft ze nooit leren skiën. Maar daarvoor is het nog niet te laat. Jeroen heeft zich al tijdens zijn studietijd buitenlandse vakanties gegund, weet ze.

Zo komt alles wat ze denkt weer terecht bij dat ene punt, die ene persoon.

Jeroen, samen met Jeanet Volkers. Heel het dorp kon zien dat ze een stel waren. En dan die arme vader Volkers. Hij hoeft niet te rekenen op aandacht en steun van zijn zoon. Misschien dat Jeanetje naar hem omkijkt. Ze woont per slot van rekening in hetzelfde dorp.

Als Sigrid nog weer later in bed ligt, blijft ze in gedachten tegen tante Ada doorpraten.

Zo komt ze op een idee: misschien kan ze een weekje bij de onbekende tante logeren, nu, midden in de winter!

6

'JE MOET WAT OMHANDEN HEBBEN, SIGRID. BIJVOORBEELD EEN STUDIE, desnoods schriftelijk. Je hebt nu geaccepteerd dat het met Jeroen nooit meer iets wordt. Met eigen ogen kon je zien dat hij een andere weg is ingeslagen. Hard, maar wel duidelijk!'

Sigrid zit met haar handen om een mok koffie somber voor zich uit te kijken. Mama heeft voor honderd procent gelijk, weet ze. Ze moet zichzelf in de kraag pakken en doorzetten.

'Ik heb het te gemakkelijk, mam. Jij doet alles, toch? Ik laat het maar gebeuren. Maar het was ook zo zwaar, al die spulletjes in de logeerkamer. Heb ik je ooit verteld dat tante Ada iemand op kamers heeft? Nou ja, niet letterlijk: ze verhuurt een schuur, of misschien is het een garage. Aan een musicus. Hij leidt een koor, geloof ik. Ze is erg gek met die jongen.'

Anja zegt niets over het leven van tante Ada te weten. 'Behalve de paar foto's in papa's oude album heb ik nooit een afbeelding van haar gezien. Misschien staat ze zelfs wel op onze trouwfoto's. Tante Ada. Zou je haar willen ontmoeten? Jullie mailen zo driftig met elkaar.'

Sigrid drinkt haar mok leeg. 'Mam, ze stelde voor dat ik op vakantie zou gaan, witte stranden en zo. Of naar de sneeuw. Waarom trekt me dat niet aan? Ik ken niemand die mee zou willen. Iedereen werkt. Zal ik proberen weer bij het warenhuis terecht te kunnen?'

'Je baan is vergeven, wat zou je er moeten doen? Vraag eens brochures over cursussen aan. Je kunt je toch oriënteren? Of voor jezelf beginnen?'

Sigrid zet haar mok op tafel.

'Mam, ik denk erover om tante Ada te vragen of ik een weekje bij haar mag komen logeren. Ik geloof dat haar huis groot genoeg is. Even ertussenuit... we kennen elkaar dankzij de mails aardig goed en echt, ik kan alles aan haar kwijt. Ze geeft me van die wijze oma-achtige antwoorden.'

Anja kijkt bedenkelijk. 'Logeren? Een weekje zul je het wel uithouden, neem ik aan. Je kunt met je eigen wagentje gaan. Voor tante Ada ook wel leuk, oudere mensen kunnen zo ontzettend eenzaam zijn.'

Sigrid schudt haar hoofd. 'Zij niet, mam. Ze doet in het dorp met van alles en nog wat mee. Helpt op een kinderdagverblijf en zo. Je moet niet vergeten dat ze vroeger schooljuf is geweest. Dus ze kent veel mensen daar. En ze heeft kinderboekjes over konijntjes gemaakt. Zelf zegt ze dat internet een ontdekking van jewelste is, de wereld is voor haar opengegaan. Dat vind ik geweldig. En ze spaart oude schoolboekjes, dat soort dingen.'

Anja zegt op zolder nog een doos met oude boekjes te hebben liggen. 'Ooit van iemand gekregen. Je vader en ik geven er niet om en toen jij klein was, had je liever dat ik je voorlas uit moderne boekjes. Ot en Sien, kinderen in die 'rare' kleding, vond je maar niets. Annie M.G. Schmidt, Jaap ter Haar, die waren meer aan jou besteed. Neem ze maar mee, misschien is Ada er blij mee. En wij zijn ze kwijt.'

Sigrid zegt meteen te mailen of het tante Ada uitkomt.

'Waarom pak je de telefoon niet?' stelt haar moeder voor.

Met de deurknop in de hand aarzelt Sigrid. 'Mailen is zo veilig, mam. Je leest na wat je geschreven hebt, met praten is dat anders. Maar eigenlijk heb je wel gelijk.'

Toch komt het er niet van: er gaat een mail naar tante Ada. Die reageert verrast.

Ik had het zelf kunnen bedenken. Ik stel je voor aan mijn vrienden en aan Lars Schutte, mijn huurder. Met hem kun je vast goed opschieten. Zijn zus is met een boer getrouwd, die op de biologische toer is. Heel interessant allemaal. En reken maar dat ik lekkere koekjes voor je bak, mijn specialiteit!

Sigrid aarzelt nog.

'En je had er toch zo'n zin in?' verbaast haar moeder zich.

Sigrid kan dat niet ontkennen. 'Maar het is thuis zo veilig, mam. Ik wil Jeroen niet weer tegenkomen.'

Nu lachen beide ouders haar uit. Van harte, want hoe groot is de kans dat ze Jeroen in dat verre, kleine dorpje zal tegenkomen?

'Pak je koffer nu maar, klim de zolder op voor die boekjes en maak de afspraak hard. Bovendien kun je dat die oude vrouw niet aandoen, Sigrid. Jezelf zo'n beetje uitnodigen en je dan terugtrekken.'

Sigrid ziet in dat ze zichzelf moet aanpakken. Doorzetten, al gaat het maar om een korte vakantie.

'Straks vind je het daar zo leuk dat je niet meer weg te branden bent,' plaagt haar vader, die zijn best doet herinneringen aan tante Ada op te halen, wat hem niet best lukt.

Gehoorzaam als een kind klautert Sigrid de zolder op. Haar moeder geeft onder aan de trap aanwijzingen waar de doos met oude boekjes staat. 'De kerstspullen staan ervoor, dus als je die opzijschuift, moet je de doos zien.'

Sigrid bromt tevreden. Mam is zo goed georganiseerd, de doos is met gemak te vinden.

'Zwaar is-ie wel, mam. Goed dat ik niet met de trein hoef.'

Ze sjorren de doos samen twee trappen af en eenmaal beneden beweert Anja dat tante Ada vast uit haar dak gaat. 'Jij gelooft het niet, Sigrid, maar er is een generatie mensen die dol is op die boekjes. Bij verkoop leveren ze nog wat op ook. Maar die Ada krijgt ze van ons.'

Ondanks dat geen van beiden bij die generatie hoort, verdiepen ze zich toch in de lectuur.

Later op de dag is het Frits die de doos in de kofferbak van Sigrids auto zet. Ondertussen heeft ze een koffer gepakt. Rommelend in haar garderobe is het of Jeroen meerdere malen opduikt: dat setje vond hij haar zo goed staan, die rok iets te lang, dat bloesje te bont.

Ze vraagt zich af of dit soort associaties ooit zal slijten?

Ze moet bellen als ze aangekomen is en vooral laten weten wat voor mens tante Ada is. 'Geef haar maar een cijfer, van vijf tot negen. Dan weten wij genoeg. Mocht het tegenvallen: snel terugkomen!'

Onderweg haalt Sigrid zich de mails van tante Ada voor de geest. Ze is nieuwsgierig geworden naar de vrienden van tante Ada. Mensen van de boerderij waar op biologische wijze geboerd wordt. En dan Lars Schutte, de musicus. Hoewel ze geen instrument bespeelt, is ze dankzij haar goede stem zelf best muzikaal te noemen. Al op de basisschool werd ze er voor feestjes en de musical, traditiegetrouw opgevoerd door de kinderen van groep acht, uitgezocht. Volgens de leraren heeft ze een vaste stem, zuiver en helder.

Zingen... wanneer is er reden om te zingen? Vroeger zongen ze thuis met Kerstmis de traditionele liederen. Steevast zei haar vader: 'Jij kunt het in je uppie tegen een heel koor opnemen.'

Eenmaal van de snelweg af is het dorp waar tante Ada haar leven slijt, snel gevonden.

Doorrijden, mailde tante Ada. Tot ze de bebouwde kom uit was en dan opletten. Her en der staan huizen, een eind van elkaar af.

En Sigrid denkt: wat een ruimte hebben al die bewoners. Grote tuinen. Kom daar in de stad eens om.

Dan ziet ze het huis van tante Ada. Het staat een klein stukje van de weg af. Sigrid parkeert in de berm en laat de omgeving op zich inwerken.

Lief tuintje, ook al is er in het huidige jaargetijde niet veel moois te zien. Het dak is van riet. En in de voordeur zit een vierkant raampje. Gemakkelijk om te gebruiken bij twijfelgevallen. Want eenzaam is het hier wel.

Sigrid opent traag het portier, ze zwaait haar benen naar buiten en graait naar haar tas. Wat zal ze aantreffen, hoe zal tante Ada in het echt zijn?

Langzaam loopt ze het paadje op. Een poes komt haar miauwend tegemoet en gaat afwachtend voor de deur zitten. Dan ziet Sigrid iets bewegen achter het erkerraam en even later wordt de voordeur geopend.

'Daar zul je mijn logee hebben.'

Tante Ada, een kleine vrouw met grijswitte krulletjes, een lief rimpelig gezicht en een lachende mond. Qua kleding is ze bij de tijd. Een gebreid vest, een rechte rok en een bloes in vrolijke kleuren.

Ze spreidt haar armen uit. 'Eigen familie, er gaat toch niets boven eigen vlees en bloed. Van harte welkom, meisje. Laat me je eens goed bekij-

ken. Je hebt veel van je grootmoeder weg, wat grappig is dat.'
Ze gaat op haar tenen staan om bij Sigrids wangen te kunnen. Drie zoenen worden uitgewisseld.
'Dag tante Ada, wat leuk om u te zien. Het mailen vond ik al prettig, maar zo is het nog leuker. Wat een schattig huis hebt u!'
Jas uit, en óp naar de woonkamer waar het lekker warm is.
Het interieur is zoals Sigrid verwacht had. Meubels die niet antiek zijn, maar wel uit de jaren vijftig stammen. Degelijk, waarschijnlijk zijn de stoelen meermaals bekleed. Alles is goed onderhouden en alleen de laptop, die midden op de eetkamertafel staat, past niet bij de rest.
'Ga zitten, daar in die stoel zit je het prettigst. Dan kun je nog naar buiten kijken ook. En ik heb je koekjes beloofd bij de koffie, is het niet? Of wil jij je eerst opfrissen?'
Niet nodig, maar koffie is welkom. Sigrid ontspant zich.
Hier is het voor een weekje best uit te houden!
Terwijl Ada de koffie haalt, belt Sigrid razendsnel met het thuisfront.
'Mam, het zit tussen de zeven en acht in.'
Anja weet genoeg!

Na een klein uurtje duizelt het Sigrid: al die namen die genoemd zijn, van mensen die ze 'nodig' moet leren kennen.
'Ja, er is een tijd geweest dat ik buitenspel stond.' Hoewel Sigrid per mail al door tante Ada op de hoogte is gebracht over die zwarte periode, krijgt ze het nu woordelijk te horen. En dat is toch weer heel wat anders dan via de laptop.
Tante Ada krijgt er zelfs tranen van in haar ogen. 'En dan het feit dat ik niet kon vergeven, dat was erg. Op mijn oude dag heb ik nog veel moeten leren. Maar het is goed gekomen. Ik mag wel zeggen: dankzij Susan. Die was hier onderwijzeres, dat heb ik toch gemaild?'
Sigrid knikt. Het duizelt haar. Susan Schutte. Lars is haar broer die musicus is en de schuur heeft gehuurd. Er is nog een broer, Ron genaamd.
'Die Ron, de andere broer van Susan, heeft verkering met Ineke Slot, de

schooljuffrouw. Want Susan is getrouwd met de bioboer, weet je nog?
Die heet Arjen Slot.'
Sigrid kan zich geen gezichten bij de namen voorstellen, toch knikt ze
heftig uit vrees de verhalen nogmaals te moeten aanhoren.
'Ja, het was een mooie bruiloft. Hartje zomer. Wat een drukte! Het hele
dorp was uitgelopen en dat komt omdat Susan juf op school is geweest
en haar man Arjen in allerlei verenigingen zit. En als biologische boer
heeft hij natuurlijk regionale bekendheid gekregen. Vergeet niet dat ze
op de boerderij ook een kinderopvang hebben, dat is voor veel boeren
een extra bron van inkomsten.'
Kinderopvang. Tante Ada hapt naar adem, zo enthousiast wordt ze.
'Daar help ik ook, een paar keer in de week én op afroep. Dat moesten
meer vrouwen van mijn leeftijd doen, omgaan met de jeugd. Het houdt
je jong en bij de tijd. Het leuke is dat ze nog wat van me kunnen leren
ook. Maar ja, ik heb dan ook in het onderwijs gezeten.'
Dan een luide stem, vanuit de gang. 'Juffrouw Berkhout! Hoe laat komt
uw gast?'
De deur vliegt open en een olijk mannengezicht kijkt om de hoek naar
binnen. 'Ai, ze is er al. Even kennismaken.'
Sigrid veert overeind. 'De musicus?'
Lars geeft haar een stevige hand. 'Inderdaad. Welkom! Geloof me, dit
hier is een best kosthuis.'
Met een hand woelt hij door het grijze haar van juffrouw Berkhout.
'Laat dat, jongen!' moppert tante Ada goedmoedig. Ze ontduikt hem en
dribbelt naar de keuken voor nog een kopje koffie. Met koekjes.
Lars grijnst. Hij gaat zitten, vouwt het ene been over het andere en dan
neemt hij Sigrid ongegeneerd op, van top tot teen. Hij herinnert zich
op tijd dat juffrouw Berkhout hem heeft gewaarschuwd niet over
Sigrids werk te beginnen. Hij weet alleen dat ze haar baan heeft opgezegd in verband met haar aanstaand huwelijk, maar dat toen de verkering op de klippen is gelopen. Tja, dat komt vaker voor, hij kan erover
meepraten en: wie niet?
Dan maar over de autorit praten. Goede reis gehad? Kon ze het huis

gemakkelijk vinden? Jaja, navigatie is een geweldig fenomeen. 'Maar dat is nog niet het einde van de uitvindingen.'

Daar is de koffie en tante Ada zorgt moeiteloos voor een ander onderwerp.

Tot het tijd wordt om voor het eten te zorgen. 'We eten tussen de middag warm. Houd je wel van koolraap? Zo niet, dan heb ik nog wel wat anders in de diepvries.'

Lars stelt voor Sigrid zijn studio te laten zien. 'Speel je een instrument?' Sigrid schudt spijtig haar hoofd. 'Ik heb het nooit verder gebracht dan blokfluit op de basisschool. Maar dat stelt niets voor. En ik heb gezongen in de schoolmusical. Voilà, mijn muzikale carrière.'

Lars trekt haar uit de stoel en sleept haar mee naar buiten. 'Die schuur daar, dat is mijn domein.'

Vanbuiten niets bijzonders, een goed in de verf zittend bouwsel. Maar eenmaal binnen staat Sigrid perplex. Een professioneel ingerichte studio, althans in haar lekenogen.

'Bespeel je al die instrumenten? Piano, synthesizer, gitaar... wat zie ik nog meer... viool ook nog?'

Lars stopt zijn handen in zijn zakken en leunt nonchalant tegen de piano. 'Tja, dat gaat vanzelf. Bij mij tenminste. Ginds hangt nog een banjo, die is voor een bepaald genre aardig. Ik heb een band gehad, maar uiteindelijk knapte ik af. De muziek die we maakten bracht ons in gelegenheden waar ik eigenlijk liever niet meer kom. En toen, als een reddende engel, kwam jouw tante Ada in mijn leven. Ons aller juffrouw Berkhout! Ik mocht dit hok gebruiken en toen werd het klussen. Naar de stort met ouwe troep. Schoonmaken, verven... en isoleren, want het huis staat toch dichtbij. Er zijn dan wel niet veel naaste buren, maar toch, je wilt niemand overlast aandoen. Ach ja, van het een kwam het ander. Ik ben tijdelijk dirigent van het dorpskoor geweest, en na een periode van ziekte trok de vorige dirigent zich terug. Tja, toen was er niemand anders dan ik om het koor te redden. Trouwens: denk niet te min over ons koor. Koorzang wordt vaak als ouderwets gezien, maar hier kunnen ze er wat van. Vlotte eigentijdse muziek, als er niets voorhanden is componeer ik zelf. Kwestie van inspiratie.'

Sigrid dwaalt door de ruimte. Ze betast de instrumenten, slaat een paar toetsen op de piano aan en zegt spijt te hebben dat ze niet kan spelen. 'Wil je gratis les hebben?' stelt Lars voor.

Sigrid schiet spontaan in de lach. 'Zou dat kunnen, in één week leren spelen?'

Lars geeft toe dat een week te kort zou zijn, maar wat weerhoudt haar om langer te blijven?

Tante Ada komt hen halen: het eten is klaar. Ze haakt een arm door die van Sigrid en zegt: 'Vanmiddag moet ik een uurtje of wat naar de opvang. Zin om mee te gaan?'

Lars beent achter hen aan.

'Moet je straks juffrouw Berkhout voorbij zien schieten op haar elektrische fiets! Ze is een gevaar voor de dorpelingen.'

Tante Ada giechelt schoolmeisjesachtig.

'Speel jij een instrument?' informeert ze als ze de keuken binnenstappen, waar het heerlijk ruikt naar gekruid vlees.

'Helaas... nee!'

Tante Ada zwaait als een schooljuf met een vinger. 'Je oma van vaderskant, Sigrid, die had een stem als een klok. Zij kon in haar eentje tegen een heel koor op!'

Nu moet Sigrid lachen. 'Alsof ik papa hoor, die zegt dat ook altijd tegen mij.'

Lars pakt een schaal aan van tante Ada en loopt ermee naar de kamer. 'Misschien lijk je wel op die oma en ben je een sluimerend talent. Dat onderzoeken we wel een keer. Ik componeer voor een zanger die je misschien wel kent. Van naam dan. Dennis, Dennis Verplanken, dat is zijn eigen naam maar hij zingt onder de naam...'

Sigrid valt in: 'Dennis Versa. Toch? Die ken ik alleen van naam. Ik heb hem wel gezien op tv. Hij zingt geen zwijmelliederen, hij gaat echt voor het betere Hollandse lied, dacht ik.'

Lars zet de schaal aardappels midden op de gedekte tafel.

'Dat doet-ie en nog meer. Hij zingt tegenwoordig gospels die we samen maken. Ja, hij zit in de lift, alleen is niet iedere muziekliefhebber fan van dat soort liederen. Dat komt nog wel, zeg ik altijd.'

Tante Ada zet een schotel met vlees naast de aardappels. Het ziet eruit als een reclame op tv. 'Lars, peper en zout, haal je het even? Dan doe ik de koolraap in een schaal.'

Sigrid gaat tegenover Lars zitten.

'Jij hoort hier dus thuis. Wat gezellig voor mijn tante.'

De donkere ogen van Lars schitteren. 'Gezellig? Je moest eens weten...het juiste woord daarvoor moet nog worden uitgevonden!'

7

'WAT EEN LUXE, MET EEN AUTO NAAR DE BOERDERIJ.' TANTE ADA schurkt haar rug tevreden tegen de leuning. 'Het is maar een klein stukje fietsen en met mijn e-bike gaat het prima. Maar ja, nat word ik vaak wel. Kijk, ginds zie je de boerderij al, herkenbaar aan het uilenbord op de nok van de gevel.'

Sigrid knikt, ze heeft er vanochtend onderweg al meer gezien. Net als tante Ada de uitleg over het ontstaan van een zogeheten uilenbord wil geven, draait Sigrid de oprit in.

'Wat ziet het er hier – ja, wat moet ik zeggen? – aangeveegd, opgeruimd en schoon uit. Goed onderhouden, dat is de juiste benaming.'

Achter en opzij van de boerderij zijn weilanden te zien, waar nu slechts schapen grazen en een stuk of wat paarden. De omheining is strak en er zal geen dier kunnen ontsnappen.

'Zet de auto maar daar, dat is een parkeerplaats.' Tante Ada wijst waar ze moeten zijn.

'Dat gele wagentje heeft een naam: de gouden koets. Het is van Susan. Ze woonde destijds in een stacaravan die tussen de hokken staat. Die had ook een naam: het paleis.'

'Nounou!' zegt Sigrid. Ze is zo langzamerhand nieuwsgierig naar de bewoners van de boerderij.

Dan klinken vrolijke kinderstemmen op en om de hoek van het woongedeelte duikt een vrouw op met een stel kindertjes in haar kielzog. De hummels zijn allemaal in een overalletje gehuld en de stampende voetjes zitten in rode laarsjes.

'Hebben ze hier een uniform?' schrikt Sigrid als ze terugwuift naar de zwaaiende vrouw.

'Welnee. Ik denk dat Astrid Waanders met de kinderen naar de schapen gaat om ze te voeren. Het is geen weer om buiten te spelen, de kleintjes bewegen zich nog niet genoeg en gaan al snel ergens zitten waar het te koud is. Kom, dan laat ik je de speelplaats zien. Schommels, klautermateriaal, allemaal gemaakt van tropisch hardhout dat verantwoord is gekapt. De visie van een bioboer.'

Sigrid kijkt haar ogen uit. Een professionele speelplaats met waar nodig rubberen tegels onder het speeltuig.

'Hier kun je als kind je hartje ophalen,' veronderstelt Sigrid.

Tante Ada trekt Sigrid mee het gebouw in. 'De baby's slapen boven in de kamertjes. En tegen vier uur worden de kinderen van de naschoolse opvang gehaald. En daar hebben we Susan!'

Susan, duidelijk een zus van Lars. Dezelfde stralende, donkere ogen en warrig haar.

'Hoi, ik ben Susan Slot.' Sigrid ziet meteen dat de jonge vrouw zwanger is. Ze krijgt een stevige hand. 'En jij bent natuurlijk Sigrid van juffrouw Berkhout. De pas teruggevonden nicht.'

'Zo is het. En dat dankzij de eigentijdse inslag van mijn tante.'

Susan vertelt met enige trots dat zij destijds juffrouw Berkhout geholpen heeft vertrouwd met het medium computer te worden.

Tante Ada ontdoet zich van haar jas, ze vouwt de sjaal keurig op en stopt hem in een jaszak. Ze wacht tot Sigrid zich van haar jack heeft ontdaan en dan loopt ze met kittige pasjes naar de garderobe.

Susan informeert of Sigrid rondgeleid wil worden. 'De baby's slapen boven. We kunnen wel even kijken, dat doe ik toch geregeld. Want stel je voor dat er wat gebeurt...'

Sigrid kijkt haar verbaasd aan. Baby's die in plaats van slapen zoals het hoort, uit hun bedjes klimmen en de boel op stelten zetten?

Susan kleurt als ze de vragende, niet-begrijpende blik ziet.

'Het ís een keer gebeurd dat een kleintje er voor dood bij lag. Nou ja... ik ben toen uit mijn dak gegaan. Ik vertel het je maar meteen, anders hoor je het van een ander. In ieder geval begon het kind te krijsen toen ik flauwviel, is me gezegd. Tja, zulke dingen kúnnen gebeuren.'

Sigrid ziet de ontsteltenis in de ogen van Susan. 'Wat zul je geschrokken zijn. Weet je, als je zoiets in de krant leest, vind je het afschuwelijk, maar er staat zoveel naars in die krant. Het is anders als je het zelf meemaakt.' Onwillekeurig kijkt ze naar het buikje van Susan. Vijf maanden, schat ze.

Ze lopen de trap op en weer valt het Sigrid op dat waar je ook kijkt, alles zo schoon en netjes is.

'Er zullen wel wettelijke eisen aan een opvang als deze gesteld worden,' zegt ze.

Susan knikt. 'Milieueisen, veiligheidseisen, ga zo maar door en dan nog kan er wat gebeuren. Ouders moeten op je kunnen vertrouwen. Maar of ik mijn eigen kind naar een crèche zou doen? Ik weet het nog niet.'

Sigrid is getroffen door de eerlijkheid van deze Susan.

De baby's slapen, af en toe klinkt er een smakkend geluidje. Sigrid loopt van bedje naar bedje.

'Wat een dotjes. Je hebt gelijk, het is heel wat om je kindje weg te brengen, ook al is de opvang nog zo goed.'

Terug beneden vinden ze tante Ada in de speelzaal bezig met een paar kleuters van nog geen vier jaar. Ze zitten op een mat op de grond en maken van blokken een merkwaardig bouwsel.

'Denise is naar huis gegaan toen ik kwam, Susan. Ze was blij toe, die vrouw heeft een dikke wang van de kiespijn. Rechttoe rechtaan naar de tandarts, zei ze.'

Tante Ada als juf. Sigrid kan zich dat nu heel goed voorstellen.

'Ze is geweldig met kinderen. En ach, ze leert ze zo graag een liedje. Weet je dat ze konijnenverhaaltjes en gedichtjes heeft gemaakt? Mijn broer was er enthousiast over en zette de versjes op muziek. Jammer dat juffrouw Berkhout er zo laat mee is begonnen. Ze zegt dat ze de puf niet meer heeft om door te gaan met schrijven en dichten.'

Susan vertelt van alles over het speelgoed, alles van verantwoord materiaal. 'En voor elk kind hebben we een schriftje dat mee naar huis mag, zodat de ouders kunnen zien wat hun kroost heeft gedaan en of er vorderingen zijn. We hebben een geweldig team. Soms moeten we een beroep op vrijwilligers doen. Maar Astrid en Denise zijn de vaste medewerksters.'

Sigrid pakt een pop op die de kleertjes achterstevoren aanheeft. 'En wie is ook weer Ineke? Tante Ada noemt telkens zo veel namen dat het me duizelt.'

Susan loopt naar het keukentje en Sigrid volgt haar automatisch. 'Ineke Slot in de zus van mijn man. Schooljuf, nog wel. Want zij en mijn broer Ron hebben trouwplannen. Ineke en ik waren collega's. Maar ja, het aantal kinderen liep terug en zodoende ben ik hier terechtgekomen. Ineke en mijn man hebben samen hier de boel op poten gezet. Straks zal ik je aan mijn man voorstellen. Arjen.'

Nu krijgen de namen gezichten. Ze worden personen. Sigrid vertelt dat ze hen al een beetje via de mails van tante Ada heeft leren kennen.

Susan vult een waterketel voor thee. 'Tijd voor de kinderen om te drinken en hun soepstengel te verorberen. Je mag wel helpen de bekertjes te vullen. Een beetje uit die fles en dan water erbij. Doe vooral de dekseltjes goed dicht, die kleine vingertjes proberen ze nog weleens uit.'

De thee wordt gezet. Het blijkt dat elke leidster een eigen mok heeft. Susan schikt wat koekjes op een schaaltje.

Uit het speellokaal komt kindergebrul. Susan verblikt of verbloost niet, naar Sigrid schrikt ervan. Ze horen tante Ada haar stem verheffen en even later is het weer stil.

'Ze heeft van nature gezag. Zoiets kun je bijna niet aanleren. We zijn allemaal op jouw tante Ada gesteld.'

Met de theemokken op een blad gaan ze terug naar het speellokaal. De kleuters spelen lief, tante Ada zit bij hen op een kinderstoeltje.

'Thee, juffrouw Berkhout. Dat tante Ada klinkt zo lief, ik denk erover die naam ook te gebruiken,' lacht Susan als ze de oudere vrouw haar thee aanreikt.

'Kind, je doet maar. Ik luister naar meer namen. Kijk, daar komen de kindertjes weer aan.'

Ze zingen luid en slecht op toon, peuters eigen. 'Schaapje, schaapje, heb je witte wol?'

De leidster neemt hen mee naar een schuur, waar, zo vertelt Susan, de laarsjes en de overalls uitgetrokken worden. 'En zo dadelijk wordt het snuitjes en handjes poetsen.'

Tante Ada zegt dat de schaapjes waarschijnlijk geen witte wol hebben, maar grijze, van de modder.

Susan drinkt haar thee snel op en zegt te gaan helpen met het omkleden.
'Hoe vind je het hier?'
Tante Ada legt een hand op een schouder van haar achternicht.
'Een heel andere wereld. Alles op miniformaat. Ik heb me nooit verdiept in het baby- en peuterleven.'
Tante Ada zegt dat het ook heel wat anders is dan leidinggeven aan een groep kleuters. 'Maar het leert snel. Is het niets voor jou? Weer eens wat anders dan etalages inrichten. Dit hier is omgaan met levend materiaal.'
De peuters komen binnen en moeten aan een ronde tafel op hun stoeltjes gaan zitten. Niet allemaal zijn ze daarvan gediend. Susan is echter onverbiddelijk. 'Sander, zítten. Josje, zítten! En de soepstengel is om te eten en niet om in brokjes te breken.'
'Voor de sapen!'
'De schaapjes hebben al eten gehad. Dit is voor jou.'
Sigrid pakt een krukje en schuift tussen een paar kinderen in.
'Jij, juf?'
Welja, juf Sigrid. Moeilijke naam, vinden de kleintjes.
'Juf Srit.'
'Ook goed.'
Een tik tegen de ruit, een aantrekkelijk mannengezicht gluurt naar binnen. Susan veert op en haast zich naar hem toe. 'Kom even binnen, Arjen, we hebben bezoek. Het nichtje van juffrouw Berkhout.'
Arjen ontdoet zich van een paar ontzettend vieze laarzen en loopt op zijn sokken het lokaal in. 'Familie van juffrouw Berkhout, komt dat zien!' Sigrid krijgt een hand en een warme glimlach. 'Kom je hier de gelederen versterken?'
Sigrid schudt haastig haar hoofd. 'Joh, ik blijf maar een weekje. Maar ik vind het erg leuk om jullie in het echt te leren kennen. Via de mail had ik al bepaalde voorstellingen gemaakt, maar die kloppen niet echt.'
Arjen biedt aan om de boerderij te laten zien als hij klaar is met melken. 'Ik wed dat een stadsmeisje als jij nog denkt dat de melk in een fabriek wordt gemaakt.'

'Nou,' reageert Sigrid verontwaardigd, 'jij hebt geen hoge dunk van mensen uit de stad! Met tien minuten fietsen ben je bij ons ook in de polder, hoor. Waar koeien en schapen lopen.'

Susan werkt Arjen het gebouw uit. 'Ga jij maar naar de loeiende meiden, schat.' Een dikke kus kan er ook nog af. Susan straalt en Sigrid beseft dat zij zelf vast nooit op die manier naar Jeroen heeft gekeken. Ondertussen mogen de kindjes die hun bekertje leeg hebben, weer gaan spelen. Een paar zijn zo moe geworden dat ze zich op een matrasje terugtrekken, zich oprollen als poesjes en met de duim in de mond wegsoezen.

De middag glijdt voorbij.

Tegen vier uur stopt een busje naast het gebouw en rollebollen de kinderen van de naschoolse opvang naar buiten. Susan vertelt dat juf Anita daar de leiding over heeft. 'Ze krijgt zo dadelijk hulp van twee onderwijsassistentes die nog op zoek zijn naar een baan. De kinderen worden met huiswerk geholpen en wie dat niet heeft, rent naar de computer om met de Wii te spelen. Daar is het elke dag om vechten. Anita heeft uiteindelijk een lijst gemaakt zodat iedereen aan bod komt.'

De kinderen komen via dezelfde deur het gebouw binnen als die door de kleintjes wordt gebruikt, maar ze lopen door naar een ander lokaal dat Sigrid nog niet heeft bekeken.

Susan wenkt haar om mee te komen. 'Die kinderen hebben een heel andere aanpak nodig. Je moet consequent zijn tot en met, anders nemen ze een loopje met je. Kijk, daar zijn de assistentes. Juffen in de dop.'

Sigrid wordt voorgesteld en haar respect voor de organisatie en de leiding groeit met de seconde.

De schoolkinderen zijn duidelijk moe, maar na het verorberen van een broodje en de inhoud van een flesje gezond drinken, kunnen ze er weer tegen.

'En daar hebben we Ineke!' roept Susan wanneer een vrolijke meid met een verwaaid uiterlijk binnenstapt. Ze schudt het blonde haar als was ze een jonge hond.

'Ik dacht: mooi weer, goed om te fietsen, maar het was nog best fris. Hoi, jij bent natuurlijk Sigrid Berkhout. Hoe vind je ons domein? Eigenlijk zou ik hier de leiding nemen, maar achteraf bezien hebben we het anders georganiseerd. Susan woont hier immers met Arjen, en ik, ik sta op het punt van trouwen en daarna stop ik met werken. Mijn aanstaande is een hulpverleningsinstantie voor kinderen met leerproblemen begonnen, kinderen die psychisch niet sporen, en ik ga hem daarbij assisteren. Kijken waar we uitkomen. Tot de zomervakantie zit ik nog hier, op de dorpsschool. En jij, heb jij niks met kinderen?'
Sigrid is verbaasd door de hartelijke manier waarop deze Ineke haar tegemoet treedt.
'Nee, nee, ik ben even op dood spoor. Eh... ik ben eigenlijk visual merchandiser... kíjk niet zo! Dat is een ander woord voor etaleur. Ik moet altijd lachen als mensen verbaasd kijken als ik het dure woord gebruik. Door... door omstandigheden en verkeerde keuzes sta ik even op nonactief. Maar dat verandert wel weer.'
Ineke knikt heftig. 'Iedereen overkomt zoiets ooit in zijn leven. Maar kom, ik ga koken voor de familie. Straks komt mijn Ron ook. Dan heb je kennisgemaakt met alle kinderen Schutte. Ze kwamen en gingen nooit meer weg... haha! Misschien vergaat het jou ook zo.'
Ineke heeft haast, haar hondjes wachten met smart om uitgelaten te worden.
'Die stakkers hebben al wel zes keer een andere naam gehad. Black en Beauty... dat was nog wat. Nu heten ze Prins en Prinses. Dat wordt wat als ze ooit kinderen krijgt en ze die telkens weer een andere naam zou geven.'
Sigrid kan niet anders dan vaststellen dat de relatie tussen de boerderijbewoners meer dan goed is. Een gemeenschap, de kinderen Schutte en Ineke en Arjen Slot. Het voelt of ze er vrienden bij heeft. Logisch dat tante Ada zich hier meer dan thuis voelt.
Of ze blijven eten? Ineke kijkt als ze haar hondjes heeft uitgelaten nog even om de hoek van de deur.
Tante Ada schudt beslist haar hoofd. 'We hebben al warm gege-

ten, meisje. Voor vanavond heb ik afbakbroodjes. Daar is Lars zo gek op.'

Om halfzes worden de baby's en peuters klaargemaakt om naar huis te gaan. Auto's rijden af en aan. Kinderen worden begroet alsof ze weken van huis zijn geweest. De leidsters worden met vragen bestormd.
Ook de groteren uit de naschoolse opvang pakken hun tassen in, ze ruimen de spellen op en halen hun jassen. Dan is het wachten tot de ouders komen voorrijden.
'Zo meteen is het hier doodstil,' voorspelt Susan. 'Kinderen weg, stilte tot en met. En ja, dan begint het poetsen. We doen het vaak zelf, want schoonmakers kosten nogal wat. Die laten we twee keer in de week komen. En ach, soms steken moeders nog weleens een handje uit. Nou, wat is je indruk?'
Eenmaal terug in het vriendelijke huis van tante Ada is Sigrid nog niet uitgepraat.
'Hoe hebben ze het aangedurfd. Het is wel een succes, dat zie je aan alles. Maar voor hetzelfde geld zou het anders zijn gegaan.'
Tante Ada schudt haar hoofd, nog voor Sigrid is uitgesproken.
'De voorbereiding was prima. Ze hebben geïnvesteerd tot en met en overal rondgekeken. In het dorp was slechts een simpele opvang in een gemeenschapshuis en die moest stoppen wegens plaatsgebrek. Trouwens, Sigrid, veel boeren doen er iets bij voor wat extra inkomsten. En een opvang op de boerderij is helemaal van deze tijd.'
Als ze aan tafel achter de heerlijk geurende broodjes zitten, bedenkt Sigrid hardop: 'En nu heb ik nog niets van de boerderij zelf gezien.'
Lars grijnst van oor tot oor. 'Dan heb je nog wat te goed. En meteen een reden om nog eens op bezoek te gaan.'

En dat doet Sigrid. Meteen de volgende ochtend. Ze loopt met Arjen mee als hij aan het werk is. Want tijd voor kletspraatjes heeft hij niet. Algauw ontdekt Sigrid dat hij overloopt van enthousiasme voor het biologisch boeren. Hij raakt er niet over uitgepraat en geleidelijk aan begint Sigrid hem te begrijpen. Het is meer dan een ideaal. Op natuurlijke wijze gewassen telen, zo mogelijk zonder chemisch ingrijpen. En er is veel vraag naar biologisch geteelde groente.

'Ik was aanvankelijk van plan het te houden bij vee. Maar toen bleek dat biologisch geteelde groente de toekomst heeft, gooide ik het roer drastisch om. Het is nu en-en, als je begrijpt wat ik bedoel. Elk vrij moment besteed ik aan het promoten van onze idealen, en die van veel anderen. Ik word veel gevraagd om te spreken, ik heb al achter veel lessenaars gestaan en telkens geeft het een kick van jewelste als je merkt dat het publiek enthousiast wordt. Waar ik spreek? Je kunt het zo gek niet bedenken, Sigrid. Scholen, daar is het mee begonnen. Vereniging van huisvrouwen, winkeliersverenigingen, bedrijven die – soms zijdelings – met voeding te maken hebben, en zo kan ik nog wel even doorgaan. Susan houdt mijn agenda bij.'

Sigrid is vol belangstelling. 'Hoe zijn jullie ertoe gekomen een kinderopvang te beginnen?'

Arjen grijnst breed. 'Zoiets komt vanzelf. Je hebt de ruimte ervoor, en de gelegenheid. En vergeet niet dat Susan een onderwijzeres met ervaring is. We lazen vaker en vaker, ook in vakbladen, dat boeren die financieel moeilijk zitten, een kinderopvang starten. Onderschat het niet, hoor. Je weet niet waar je aanvankelijk voor komt te staan. Je kunt niet een stal schoonvegen en er speelgoed in zetten. Nee, alles moet tot in de puntjes geregeld zijn volgens de geldende wetten. We hebben het meteen grondig aangepakt, zijn overal wezen kijken hoe anderen het deden en lieten ons waar nodig voorlichten. Er kwam even een kink in de kabel toen Susan het zwaar kreeg met haar emoties. Ze werd steeds banger dat er iets, wat dan ook, met een kindje zou gebeuren. Zeker toen een overbezorgde moeder haar angsten dagelijks kenbaar maakte. En je gelooft het of niet, het was Susan die het kindje in de wieg vond, het ademde nauwelijks of helemaal niet meer. Ze gilde, viel flauw, de baby begon – van schrik, denk ik – te krijsen. Susan is tijden niet aanspreekbaar geweest als de opvang ter sprake kwam. En een eigen kindje... ze moest er niet aan denken. Ze is zelfs kort in therapie geweest, wat bijna niemand weet. En ja, nu is ze zelf zwanger. Het gaat goed, ze is ook niet langer bang voor eventuele rampen wat betreft onze klantjes. Hoewel... vanwege de zwangerschap zijn haar hormonen danig in de war. Onlangs was ik bang dat de oude klachten opspeelden, maar ik ben erg alert als het om mijn vrouw gaat. Een goed gesprek, nuchterheid, die combinatie doet wonderen. En natuurlijk het geloof in God. Ook al gebeuren er bij christenen net zo goed ellendige dingen in het leven. Maar ja, je hebt toch iets meer dan een ongelovige. Wat zeg ik, iets? Heel wat meer. Je hebt uitzicht, je put als het ware uit een Bron die nooit opdroogt. En dat maakt het leven toch... anders.' Hij zwijgt even, kijkt Sigrid aan, peilt haar reactie. 'Of denk jij daar anders over?' Ze schudt haar hoofd. En ze is het met hem eens. Ze denkt aan de situatie rondom Jeroen. Ja, ze heeft ook geleerd te putten uit de Bron waar Arjen over spreekt. Ze legt beide handen op een arm van hem die een schop heeft gepakt. 'Dank je wel voor alles wat je hebt verteld, Arjen, ook dat over Susan. Ik vind het geweldig de vrienden van tante Ada te leren kennen. Een wereld apart... Ja, ik voel een soort aansluiting bij jullie allemaal.'

Arjen grijnst. 'Dat klinkt goed. Wel, dan blijf je toch een tijd bij juffrouw Berkhout? Het zal haar ook goeddoen, denk ik zo. Maar nu, beste meid, moet ik aan de slag. Het was leuk om met je te praten en ik zou zeggen: kom eens een avondje op bezoek, leuk voor Susan. Ze heeft veel kennissen in het dorp en natuurlijk mijn zus Ineke, die haar vriendin is, maar verder toch weinig relaties. Dus: van harte welkom!'

Sigrid kan niet vertrekken zonder even bij de opvang langs te gaan. Een paar kleuters herkennen haar.

'We kunnen altijd extra hulp gebruiken, Sigrid. Voor als je langer in het dorp wilt blijven.' Susan is de hartelijkheid zelf en nu Sigrid meer over haar heeft gehoord, bekijkt ze haar met andere ogen.

'Wie weet. Ik ben toe aan verandering en tante Ada zegt te genieten van bezoek. Maar ik moet bekennen dat ik als een magneet naar de studio van je broer getrokken word. Die man heeft heel wat in zijn mars!'

Susan straalt. 'Ik heb twee geweldige broers. Echt waar! Lars heeft ooit in een dip gezeten, maar is daar wonder boven wonder zo sterk uit gekomen. Hij is met van alles bezig. Dat met die zanger, Dennis Versa, wordt nog wat. Ja, hij is bezig een BN'er te worden!'

Ze lachen erom, maar die kans is groot, weten beiden.

Voor ze vertrekt komt Sigrid terug op de suggestie van Arjen om een avond op bezoek te komen.

'Nou, leuk zeg! Zo veel vriendinnen heb ik hier niet. Buiten Ineke om dan, maar die is meer een zus. Leuk, dan kan ik je de babykamer laten zien. Zeg, ik ben zelfs aan het breien. Nee, geen kerstballen met herten... maar een omslagdoek. Idee van juffrouw Berkhout. Ze heeft voor garen, pennen én een patroon gezorgd. Tja, toen moest ik wel.'

Het afscheid is als tussen vriendinnen en met een blij hart rijdt Sigrid terug naar het kleine huis met het rieten dak.

Voor het eerst in weken ziet ze weer licht aan de horizon!

8

Dennis Versa, een aanstaande BN'er...

Sigrid weet dat ze qua leeftijd niet veel verschillen, maar ze komen uit totaal andere werelden. Alsof ze elkaars taal niet spreken.

Lars heeft er geen moeite mee, hij en Dennis verstaan elkaar ook zonder veel woorden.

'Dat komt,' beweert tante Ada, 'omdat ze op dezelfde golflengte zitten, Sigrid. Ze spreken de taal van de muziek.'

Na een paar dagen tante Ada's gast te zijn geweest, heeft Sigrid het gevoel alsof ze elkaar al een leven lang kennen. Ondanks het verschil in leeftijd. Ze vergezelt haar tante als ze op bezoek gaat, bijvoorbeeld bij de familie Huizinga. De moeder van het gezin is een tijd terug voor de dood weggehaald en tante Ada was een van de mensen die in die moeilijke tijd bijsprong. Sindsdien is ze een geliefde gast en natuurlijk is nicht Sigrid ook welkom.

'Het is of alle mensen in het dorp u kennen, tante Ada,' zegt Sigrid als ze de korte afstand naar de dichtstbijzijnde stad rijden.

Ada knikt tevreden. 'Dat is wederzijds, lieve kind. Ik heb veel dorpelingen leren lezen. En omdat ik hier ben blijven wonen na mijn afscheid van de school, blijf ik erbij horen. Geloof me, dat waardeer ik zéér.'

Ook in de boekwinkel Het Kompas wordt tante Ada hartelijk begroet door de eigenaar. Ze krijgen een warme handdruk van de man die zich voorstelt: 'Thijmen Schreurs. U bent dus dé nicht over wie juffrouw Berkhout al dagen sprak? Ook zo'n boekenliefhebber als uw tante?'

Sigrid knikt enthousiast. 'Ik lees het liefst uit het Engels vertaalde detectives. Vooral als ze zich afspelen in gehuchtjes in glooiende vlaktes, met stenen muurtjes en bossen waar de narcissen in het wild groeien.'

Thijmen lacht begrijpend en zegt dat Sigrid niet de enige is. Dan vraagt hij: 'Kan ik ergens mee helpen?'

Tante Ada heeft een paar herdrukken van strips besteld: 'Heer Bommel en Tom Poes. Maar die zul jij wel niet kennen, Sigrid?'

'Vaag...'

Terwijl tante Ada bij de toonbank haar zaakjes afhandelt, snuffelt Sigrid tussen de boeken en zoals gewoonlijk vindt ze er één die haar aanspreekt. Een winkelmeisje duikt achter haar op en vraagt of ze behulpzaam kan zijn? Niet dus.

Dan loopt Sigrid naar de wandrekken waar kaarten te kust en te keur een plaatsje hebben gekregen. Ze wil fotokaarten die in de omgeving zijn gemaakt, om naar huis te sturen.

'Uit jullie dorp is geen kaart,' zegt Thijmen als ze daarnaar vraagt. 'Alleen uit ons stadje. Het prachtige stadshuis, de weilanden met vee en winterkaarten met schaatsende mensen.'

Thijmen rekent even later af, ondertussen naar tante Ada luisterend.

'Hoe gaat het met Eveline?' vraagt deze. 'Ik heb haar gemist op de naschoolse opvang.'

Thijmens gezicht betrekt.

'Ze is ziek geweest, juffrouw Berkhout, maar ze is aan de beterende hand. Wat wil je, winter betekent voor haar griep. Als u wilt, mag u wel even doorlopen naar het magazijn, daar heeft ze een gezellig plekje gemaakt voor zichzelf.'

Sigrid kijkt in het magazijn nieuwsgierig om zich heen. Op schappen staan dozen en nog eens dozen. In een hoek ziet ze een kopieermachine, op een bureau staat een computer met toebehoren en een schragentafel is bezaaid met boekenstapels. Het ziet eruit of het bestellingen zijn. De geur van papier en drukinkt komt haar tegemoet: een boekwinkelluchtje.

In een hoek ontdekt Sigrid het persoontje om wie het gaat. Eveline, het zieke kind. Ze zit in een ouderwetse leunstoel waar ze nog net niet in verdrinkt. Een plaid om zich heen, op schoot een boek en op een tafeltje naast haar nog meer leesvoer.

Ze kijkt verrast op bij het zien van bezoek en legt een vingertje bij de regel die ze het laatst heeft gelezen.

'Dat is mijn lieve dochter.' Sigrid kijkt opzij, de stem van Thijmen trilt even.

Sigrid loopt op Eveline af. 'Jij bent Eveline, mijn tante vertelde al over je. Juffrouw Berkhout, die ken je toch wel? Dat is mijn tante Ada.'

Eveline knikt en legt een klam handje in die van Sigrid. 'Ja, die ken ik héél erg goed. Ze komt vaak bij de nso. Weet u wat dat betekent? Naschoolse opvang. Daar ga ik elke dag heen en meestal rijd ik mee met juf Ineke. Die gaat binnenkort trouwen, en dan mag ik bruidsmeisje zijn!'

Sigrid informeert naar wat het meisje leest. Eveline krijgt een kleur en zegt: 'Het is eigenlijk te kinderachtig voor mij. Het is een prentenboek, maar de plaatjes zijn zo mooi. Als je er lang naar kijkt, kun je erin kruipen. Niet echt, natuurlijk, maar toch... ik kan het niet goed uitleggen. Soms probeer ik die plaatjes na te tekenen, maar zo goed als die uit het boek worden ze nooit.' Ze wijst naar de stapel boeken naast haar, waar een schetsblok onder verstopt ligt.

Sigrid peutert het uit de stapel en luistert niet naar de protesten uit de kindermond. Ze slaat een paar bladzijden om. 'Eveline... die plaatjes heb je zeker overgetrokken of gekopieerd?'

Eveline schudt haar hoofd. 'Nee hoor. Ik heb altijd al veel getekend, ook toen ik klein was. Omdat ik vaak niet naar buiten kon of mocht. Tja, door oefening word je beter, denk ik.'

Sigrid schudt haar hoofd. 'Je hebt tekentalent, meisje. Geweldig, ik wilde dat ik dat kon!'

Thijmen heeft hen gadegeslagen. Hij staat midden in het magazijn, de duimen door de lussen van zijn spijkerbroek. Sigrid kijkt om, zoekt oogcontact.

Thijmen glundert. 'Dat zei juffrouw Berkhout ook al, die tekent zelf ook zo aardig.'

Sigrid zegt met besliste stem dat Eveline les zou moeten hebben. 'Dat lijkt me echt iets voor haar.'

Thijmen belooft uit te kijken naar een leraar of lerares. 'Dan heeft ze een hobby.'

'Papa toch! Ik héb al een hobby. Dat weet je toch... mijn Monty!' En zich tot Sigrid kerend: 'Monty is mijn pony. Ze loopt op de boerderij bij

Susan. Eigenlijk vind ik Monty geen leuke naam, maar zo heette ze al toen ik haar kreeg. Misschien vind ik een keer een naam die op Monty rijmt zodat ze ernaar kan luisteren. Weet jij er geen? Of moet ik u zeggen?'

Sigrid schudt haar hoofd. 'Ik heb liever dat de mensen me Sigrid noemen.'

'Papa ook? Pap heet Thijmen!'

Thijmen steekt Sigrid voor de tweede keer een hand toe. 'Bij dezen: Thijmen.'

Ze lachen saamhorig.

Eveline is aan het rijmen. Monty, Bonty, Zonty, Connie...

Sigrid belooft te helpen denken. 'Tot ziens, tekenares!'

Eveline glundert en krijgt blosjes op haar wangen. 'Ik mag gauw weer naar school, ben jij dan ook op de opvang?'

'Misschien wel. En anders kom je me maar eens opzoeken bij tante Ada.'

Tante Ada komt kijken waar de twee blijven. 'Je winkelmeisje heeft het druk met twee klanten, Thijmen.'

Thijmen komt met een schok terug in het hier en nu. Hij grijnst naar de twee vrouwen en haast zich terug naar de winkel.

Tante Ada maakt een paar grapjes met Eveline en dan nemen ze afscheid. Eveline kijkt hen verlangend na.

'Lief kind.' Sigrid zegt het met een zucht.

'Ze komt er wel bovenop. Vergeleken met een tijd terug is ze al veel sterker. We vragen haar wel een keer op bezoek.'

Terwijl Sigrid de gekochte kaarten thuis beschrijft, willen Eveline en haar vader Thijmen niet uit haar gedachten. Een vader die zijn kind aankijkt met ogen vol liefde, maar ook met bezorgdheid. Of is het angst?

Dat doet haar weer denken aan Susan, die een verborgen angst heeft wat betreft baby's, als gevolg van wat ze heeft ervaren. Als haar eigen kindje wordt geboren, zal die vrees wel afnemen, bedenkt Sigrid. Of juist niet?

Ze wil de kaarten meteen posten, maar tante Ada weerhoudt haar. 'Wacht maar even, de postbode komt zo dadelijk langs en als hij ziet dat ik wat te versturen heb, komt hij altijd even aan. Ja, ik klem mijn eigen te versturen post in een opening van de brievenbus die buiten staat, en de afspraak is dat hij ze meeneemt. Nu wil het geval dat sóms iemand anders deze route heeft, en dan wil het nog weleens fout gaan. Zelfs in een dorp als dit wordt er gemoderniseerd en bezuinigd, Sigrid. Het postkantoortje is al lang weg. Dat is lastig voor mensen zoals ik die geen eigen vervoer hebben. Ik ga wel op de uitkijk staan.'

Sigrid schudt haar hoofd. Ze zou graag een wandelingetje naar de brievenbus in het dorp gemaakt hebben. Niet dus.

Tante Ada krijgt gelijk: op ongeveer de tijd die ze aangaf stopt een bestelwagentje van de posterijen en een gehaaste man stapt uit, plukt de kaarten uit de gleuf en deponeert de post voor tante Ada in de bus. Hij werpt een blik op het kamerraam, zwaait uitbundig naar tante Ada en sprint weer weg.

'Gelukt.' Tante Ada klinkt tevreden.

Als het koffietijd is, rond vijf uur, duikt tante Ada de keuken in terwijl Sigrid tussen de cd's rommelt. Ze vindt er een met moderne christelijke songs en terwijl ze het schijfje in de speler schuift, vraagt ze zich af of tante Ada dit soort muziek waardeert. Zelf kent ze de meer ouderwetse versie, die haar ouders bezitten.

De muziek begint. 'Er is kracht, kracht, wonderbare kracht...' Ze moet even wennen aan het tempo, maar de tekst is niet veel veranderd en even later zingt ze uit volle borst mee.

Jeroen, schiet het door haar heen, had een bloedhekel aan dit soort muziek.

Opeens vliegt de kamerdeur open. Sigrid verwacht tante Ada met een dienblad in de handen, maar ze heeft het mis. Lars struikelt bijna over zijn schoenen waarvan hij de veters bijna altijd los heeft. 'Jij zingt!' Hij slaat Sigrid op de schouder alsof ze een man is en zingt met haar mee, uit volle borst. Tante Ada zet het dienblad op het pluchen tafelkleed en houdt beide handen tegen de oren.

'Alsjeblieft, mag het wat zachter!' roept ze.

Sigrid draait onmiddellijk aan de volumeknop en wrijft over haar schouder. 'Jij hebt meer kracht in je handen dan je denkt, beste Lars.'

Lars kijkt haar aan, maar luistert niet. Hij hoort amper wat ze zegt. 'Meid, je hebt een dijk van een stem. Niet spectaculair, dat bedoel ik niet. Maar zo stóér! Zonder gedraai, stemvast, zuiver ook nog en wat een volume. Precies wat Dennis en ik zoeken.'

Sigrid kleurt.

'Sla nu geen onzin uit, Lars. Ik heb een prima koorstem, dat weet ik mijn leven lang al. Maar solo... alsjeblieft niet.'

Lars pakt een kopje koffie van het blad en gaat op de punt van de tafel zitten.

'Ik zoek ook geen solostem, maar eentje die combineert met die van Dennis. Tegenwoordig zingt hij – misschien had ik het al verteld – van die ouderwetse liederen die onze grootouders mooi vonden, maar dan in een modern jasje. En geloof me of niet: het loopt als een trein. We zijn met meer dingen bezig, maar met de duetten wachtten we, omdat we geen goede combinatie met zijn stem konden vinden. Toe, loop straks even mee naar de studio, dan proberen wij samen wat uit. Ik heb een band van hem liggen waar de tweede stem ontbreekt. Het is echt alleen om te proberen...'

Sigrid gaat met een kopje koffie in de erker zitten, tegenover tante Ada. 'Zeg eens tegen die jongen dat hij daast, tante Ada,' smeekt ze.

Ada kijkt bedenkelijk.

'Misschien heeft die jongen wel gelijk. Je hebt inderdaad een krachtig stemgeluid dat me doet denken aan een paar vrouwelijke familieleden. Mijn moeder, die zong net zo. En vroeger, toen ik jong was, had ik ook een sterke stem. En zuiver. Doe Lars dat plezier, al is het alleen al om van hem af te zijn.'

Zo gemakkelijk komt Sigrid echter niet van Lars af. Na een probeersel is hij nog enthousiaster. Hij smeekt Sigrid één song in te studeren. 'Van één lied is nog niemand doodgegaan of ziek geworden. Wat let je? Hier, een oud, vertrouwd lied: *Op die heuvel daarginds*. Niet zo traag gezongen

als destijds, maar met ritme en natuurlijk sneller. Luister maar.'
Sigrid kent dit lied ook. Ze neuriet het mee, maar even later staat ze
met bladmuziek in de handen.
'Je moet natuurlijk je eigen partij instuderen. Dennis zingt de melodie,
die van jou speelt eromheen. Toe, Sigrid, lieve Sigrid, doe mij dat ple-
zier!'
Hij kijkt haar zo trouwhartig aan dat ze niet kan weigeren. Lars troont
haar mee naar een piano en dwingt haar op de kruk plaats te nemen.
'Je kunt toch noten lezen? Dankzij je blokfluitlessen? Wel, dan kun je
toch ook de toetsen vinden? Of niet?'
Het is voor Sigrid even puzzelen.
'Dat is de centrale c en dan moet dat de g zijn. Wacht, twee mollen,
toch?'
Anderhalf uur later is Sigrid tevreden, maar Lars nog lang niet.
'Jij hebt beslist een ander soort oren dan ik,' moppert Sigrid. 'Volgens
mij is er niets te verbeteren.'
'Morgen verder. Dan komt Dennis ook, en kunnen we een proefopna-
me maken. Wat zal Dennis verrast zijn!'

En die voorspelling komt uit.
Dennis is inderdaad enthousiast en nee, hij is niet op zoek naar een
solostem die domineert. 'Het is de bedoeling dat we geen van beiden domineren. Het is een samenspel van twee stemmen. Ik denk vaak
aan de periode toen ik in Zwitserland logeerde, bij een vriend die me
heeft geleerd citer te spelen. Zijn familie kon geweldig zingen. Dan
zaten ze rond een tafel, iemand zette in en de anderen vielen hem bij.
Het was een kwestie van luisteren naar de stemmen van anderen.
Beheerst, melodieus, op elkaar afgestemde stemmen. Net een instrument.'
Tot nu toe heeft Sigrid Dennis als een soort kwajongen gezien, een man
die altijd een beetje kind zal blijven. Maar nu ziet ze een enthousiaste
musicus die zich inspant te verwoorden wat hij voelt.
Sigrid gaat verlegen bij de opnameapparatuur staan. 'Dennis, je moet

geen al te hoge verwachtingen hebben. Lars kan ontzettend overdrijven, weet je.'

Dennis grabbelt met beide handen door zijn zwarte krulhaar en kijkt naar Lars. 'Hij daar weet precies wat goed is en wat niet. Een tussenweg kennen we geen van beiden. Kom op, Sigrid, het geeft niet als je een verkeerde noot zingt, het gaat nu alleen om te horen hoe de stemcombinatie is. Straks zal ik je iets laten horen wat absoluut niets is.'

Een kwartier laten is niet alleen Lars enthousiast, ook Dennis deelt de vreugde van de ontdekking. Hij zet een band op van hetzelfde lied: *Op die heuvel daarginds.*

'En weet je wie de zangeres is?' Hij noemt een naam die Sigrid wel kent. 'Wel, de combinatie met mijn stem is prut en niets anders!'

Sigrid moet even later toegeven dat hij gelijk heeft. De zangeres heeft een geweldig stemgeluid, maar ze draait en probeert duidelijk erbovenuit te komen, letterlijk en figuurlijk.

'Het is net een wedstrijd, die twee stemmen.' Dat is het oordeel van Sigrid en beide mannen applaudisseren bij die juiste beoordeling.

'Nu gaan we afspraken maken, mensen. Sigrid, we zingen dit nummer onder andere in de kerk hier ter plaatse. Later in Arnhem. En in Zwolle. Dus het wordt flink repeteren voor jou. We zijn trouwens héél selectief wat betreft het accepteren van uitnodigingen.'

Het is Sigrid of ze ontwaakt uit een droom.

'Hoho! Repeteren, zeg je. Er dus hard aan werken. Maar, lieve Lars, ik wóón hier niet! Ik ben de gast van tante Ada en echt, ik kan niet voor zo'n lange tijd op haar gastvrijheid rekenen.'

Dennis grinnikt, hij denkt overal een oplossing voor te weten. 'Lieve Sigrid, dan zoek je hier een baantje en betaal je juffrouw Berkhout kostgeld. Wat vind je van die gedachte?'

Sigrid laat zich op een stoel ploffen. In eerste instantie wijst ze het wilde plan van Dennis niet af. Het *is* een idee. Bovendien is het dorp ver weg van Jeroen. En over een paar maanden zit hij in Limburg. Een veilig gevoel.

'Ik weet het niet. Wat voor werk zou ik hier kunnen doen? Er zijn geen grote warenhuizen die op mij zitten te wachten. Ik kan het in de stad proberen. Wat jullie de stad noemen, is voor mij een stadje. Met veel te weinig mogelijkheden.'

Tante Ada, die poolshoogte komt nemen en eindelijk weleens wil horen wat de resultaten zijn, komt met een idee.

'In de opvang loopt het soms stroef omdat er te weinig leidsters zijn. Je hoeft echt geen geweldige diploma's te hebben om daar aan de slag te kunnen, alles is te leren. Baby's verluieren, peuters voeren, schoonmaken, afwassen... misschien heeft Susan zelfs hulp nodig voor de administratie. Ik bedoel maar...'

Alle ogen zijn gericht op het kittige oude dametje. 'En,' voegt ze eraan toe, 'mij zit je niet in de weg. Ik ben zo gelukkig familie te hebben, Sigrid. Jij bent nog jong, dus heb je geen idee wat dat voor mij betekent.'

Sigrid kijkt vertederd naar haar tante. Wat moet ze eenzaam zijn geweest. Spontaan buigt ze zich naar tante Ada toe en knuffelt haar.

'Dus stel dat ik een baantje vind, dan mag ik blijven logeren?'

Lars roept luid dat de stacaravan op de boerderij ook een optie is. Maar Sigrid schudt haar hoofd. Ze zegt voorlopig liever bij haar tante te wonen.

'Dat is dus afgesproken.' Tante Ada is even de schooljuf van vroeger, ze klapt in haar handen en kijkt heel tevreden het kringetje mensen stuk voor stuk aan.

'Eerst een baan!' roept Sigrid. Ze klinkt verdedigend.

'Eerst jullie lied laten horen en reken maar dat ik kritisch ben,' zegt de juf.

Ze krijgt haar zin. Zittend op een stoel slaat ze de jongelui gade. Heerlijk om zo jong te zijn, tijd te hebben om plannen te maken. Niet gehinderd door kwaaltjes die bij de oude dag horen, of door depressieve gedachten. Hoewel wat dat laatste betreft Lars ook zijn deel heeft gehad.

Als de laatste noot is verklonken wil tante Ada applaudisseren, maar eerst moet ze de tranen uit haar ogen wrijven.

'Kinderen, wat goed. Wat erg goed. Het doet me denken aan vroeger, dat lied, en zo zal het veel mensen vergaan. Dat het in een nieuwe setting is geplaatst doet het geheel alleen maar goed. Jullie zullen succes hebben.'

's Middags heeft tante Ada dienst: ze werkt van halftwee tot zes uur. En dit keer gaat Sigrid mee, in de hoop een baan te bemachtigen.
Er is storm op komst, wat te merken is aan de kinderen, die af en toe door het dolle heen zijn, en dat zonder reden. Huilpartijen, ruzietjes en dwarsliggen. Alleen de baby's doen wat ze moeten doen: slapen.
Susan zegt blij te zijn dat Sigrid de handen uit de mouwen wil steken. 'Jammer dat je niet hier woont, je zou een goede peuterleidster kunnen worden.'
Pats, dat is bijna een verzoek om te solliciteren. Sigrid smeedt het ijzer terwijl het heet is.
'Als je dat meent, Susan, kan ik morgen beginnen.' Ze heeft een mandje schone was opgevouwen en kijkt over de grote tafel Susan vragend aan.
'Ik dacht dat je hier logeerde? Als dat niet het geval is...'
Sigrid haast zich Susan over de plannen in te lichten.
'O, Lars, zit dat erachter? En jij gaat met Dennis zingen? Wat goed. Ja, als Lars er echt wat in ziet, moet het goed zijn, hem kennende. Geweldig, Sigrid. Je bent welkom. Maar reken niet op een dijk van een salaris. Veel kunnen we nog niet betalen, we zijn nog maar zo kort bezig. Dat zal veranderen. Bovendien gaat een van de leidsters hier weg, Astrid Waanders. Ze is druk met haar gezin en bovendien verdient haar man genoeg voor twee. Dus als jij wilt, hoef ik niet te adverteren.'
Ze kijken elkaar aan, als willen ze de gedachten van de ander peilen.
'Akkoord!' Sigrid steekt over de lakentjes en theedoeken haar hand uit, die Susan meteen grijpt en stevig drukt.
'Collega! Wel, dan zal ik zodra we de gelegenheid hebben, je in alle facetten inwerken. Heb je ook verstand van alles wat met administratie van doen heeft? Ik heb wat achterstand. Meestal werk ik in de avond-

uren nog wat, maar de laatste tijd lukt dat niet meer. Dikke voeten, moe en slóóm dat ik ben!'

Als tante Ada het goede bericht krijgt, begint ze te stralen. 'Nu heb ik twee jonge mensen onder mijn dak, Susan! Er is niets zo goed voor een ouder wordend mens dan om met jongelui om te gaan. Echt, die broer van je houdt me jong.'

Terwijl Sigrid de stapeltjes wasgoed opruimt, zingt het vanbinnen in haar. Wat zullen pap en mam wel zeggen? Zeker, ze zullen blij voor haar zijn. Het is de hoogste tijd dat ze eens op bezoek komen.

Ineke brengt na schooltijd Eveline mee. De andere kinderen van de naschoolse opvang worden door een busje gebracht dat geleend is.

Sigrid wordt meteen ingezet. Ook deze kinderen zijn druk en onstuimig. Ineke noemt hen haar 'weermannetjes'.

'We hadden zelf een busje, zoveelstehands. Wel, dat gaf het op en toen moesten we maatregelen treffen. Maar in het weekend gaan Ron en Lars voor ons op jacht naar een geschikt busje. De twee broers hebben verstand van alles wat een motor heeft, zeker Ron, die zelf motor heeft gereden.'

Sigrid voorziet de kinderen die in de leskamer aan een lange tafel zijn geschoven, van drinken en een gezonde koek. Ze voelt dat Eveline haar met de ogen volgt, waar ze gaat en staat. En als ze een beker chocolademelk voor het kind neerzet, informeert ze of ze helemaal beter is.

'Niet helemaal, maar ik mag wel naar school, maar niet in de pauze buiten spelen. Nou ja, het is toch akelig weer. Maar thuis begon ik me zo te vervelen.'

Huiswerk heeft ze niet, dus raadt Sigrid haar aan te gaan tekenen.

'Kun je ook kinderen tekenen? Bijvoorbeeld kinderen met een hond of een poes?'

Evelines oogjes beginnen te glimmen. 'Of een pony. Ja, ik kan al heel goed een pony tekenen. Omdat ik het geoefend heb.'

Na een kwartiertje komt Arjen binnen. 'Waar zijn mijn assistenten? De koeien moeten wat hooi hebben, daarna vegen we de stal schoon. Wie?'

Een vijftal jongens springt op en Susan roept vermanend dat ze eerst hun beker moeten omspoelen en op de kop op het afdruiprek zetten. Arjen klaagt: 'Ze heeft de wind er goed onder, die Susan van mij. Dan kun je meteen zien, Sigrid, wat voor leven ík heb!'

Sigrid knikt begrijpend. 'Jammer dat de toon waarop je het zegt, niet overeenkomt met de inhoud van je woorden.'

Omringd door dartelende jongens en één meisje, verlaat Arjen het gebouw.

Susan vraagt of Sigrid het aankan de achtergebleven groep te helpen met wat zich voordoet. 'De oudsten hebben huiswerk. Daar kun je vaak bij helpen. Lukt dat?'

Eenmaal alleen met de kinderen ontdekt Sigrid dat ze geniet van wat ze als opdracht heeft gekregen. De kinderen accepteren haar hulp en al snel is ze goede maatjes met hen. En dan is daar Eveline, die op een subtiele manier haar aandacht vraagt. Ze roept niet, maar kijken is al genoeg. Sigrid vóélt bijna haar ogen prikken.

Eveline heeft behoefte aan stimulans, een knikje is vaak al genoeg. 'Had ik maar huiswerk, Sigrid, dan kon jij ook bij mij gaan zitten.'

Zodra de andere kinderen zelfstandig voort kunnen, trekt Sigrid een stoel naast die van Eveline. 'Ik kom de kunst afkijken. Heeft je vader al werk gemaakt van een tekenleraar?'

Eveline legt haar kleurpotlood neer en knikt. 'Op de school voor grote kinderen is een leraar die privéles geeft. Als hij een clubje bij elkaar heeft, belt hij papa op.'

Sigrid voelt de eenzaamheid van het kind. 'Weet je dat ik hier kom werken? We zien elkaar dus vaker. Eigenlijk ben ik etaleur, je weet vast wel wat dat is. Maar het is niet gemakkelijk om een baan te vinden, dus kom ik hier werken.'

Eveline kauwt op haar potlood en kijkt nadenkend. 'Mijn vader heeft weleens een etaleur nodig. Zelf kan hij er niets van. Dan kan ik het nog beter. Soms geef ik hem raad, weet je en dan luistert hij echt!'

Eveline, een kind, maar met een wijsheid die bijzonder is. Sigrid ontdekt dat ze bij Eveline vaak de leeftijd vergeet.

Als Thijmen haar later komt halen, stralen vader en dochter elkaar toe. 'Pap!' De manier waarop Eveline het zegt, doet een snaar in Sigrids ziel trillen.

Terwijl Eveline haar jas aantrekt en toelaat dat haar vader de sjaal wat hogerop trekt, zegt ze: 'Weet je dat Sigrid etaleur is? Echt waar. Misschien kun je haar wel kopen, ik bedoel húren! Zo heet dat toch?' Sigrid bloost en Thijmen lacht. 'Nou, als ze te koop was... maar dat is niet zo, toch, Sigrid? Dan zou ik een bod doen. Maar het zou een goed idee zijn haar hulp te vragen als de etalage weer veranderd moet worden. Ik kom niet verder dan wat boeken etaleren, vooral de nieuwste uitgaven, maar geen hond blijft voor de etalage staan.'

Sigrid grinnikt. Thijmen vertelt het beeldend.

Als ze vertrekken, zegt Thijmen: 'Tot gauw.'

Nadat de meeste kinderen zijn opgehaald, informeert Susan hoe het Sigrid is bevallen.

'Ik ben verrast door mijn eigen reacties. Ik had voor het onderwijs moeten kiezen, vroeger. Nu begin ik er niet meer aan. Met de kinderen die geholpen moesten worden, had ik meteen een klik. Zo leuk.'

Susan knikt begrijpend. 'Het ís ook moeilijk om op je zeventiende te weten wat je wilt. Maar ja, kiezen moet je. Trouwens: hoe vind je vader en dochter Schreurs?' Ze denkt terug aan de tijd toen ze nog in de stacaravan woonde en kennismaakte met Thijmen en de toen nog heel zwakke Eveline. Thijmen, die duidelijk liet merken dat hij haar wel zag zitten. Maar of dat iets te maken had met liefde, betwijfelt ze. Die man heeft dringend behoefte aan een vrouw in zijn huis, iemand op wie hij kan vertrouwen in verband met de zorg voor Eveline.

Ze hoopt dat Sigrid niet in die val trapt. Of ze zou het moeten willen.

Sigrid ruimt de speelleerkamer op, met een doek veegt ze de lange tafel schoon. Potloodslijpsel, propjes papier en een paar vergeten bekers. Ze kijkt Susan aan. 'Hoe ik ze vind? Hm, ze ontwikkelen een band die misschien later zal gaan knellen. Er komt een moment dat Thijmen Eveline meer zelfstandigheid moet gunnen, denk ik. Zou de moeder nooit meer in beeld komen?'

Susan haalt haar schouders op. 'Geen idee. Sigrid, bedankt dat jij je handen uit de mouwen wilt steken, op de crèche en in het lokaal. Echt, ik waardeer het. Nu moet ik weg, Arjen moet op tijd eten want anders komt zijn ritme in de war.' Ze lacht om haar eigen woorden. 'Ik bedoel natuurlijk het ritme van het werk, de dieren gaan altijd voor! Straks sluit ik alles wel af, dus... tot morgen.'

Sigrid reageert: 'Tot morgen.' En die woorden maken haar blij!

9

TANTE ADA VINDT HET DE HOOGSTE TIJD OM DE FAMILIEBANDEN WAT strakker aan te halen. 'Jouw vader kan natuurlijk door de week moeilijk weg.'

Sigrid haast zich te zeggen: 'Mam net zo goed niet, tante Ada. Ze is assistente in de bibliotheek en werkt bijna elke dag wel een paar uur. Maar wat is de bedoeling? U wilt hen ontmoeten? Wel, dan gaan we toch zaterdag naar hen toe? Dan kan ik meteen wat spullen ophalen omdat ik nu wat langer van huis wegblijf.'

Tante Ada kan haar enthousiasme nauwelijks bedwingen. Ze heeft wel zin in een autotochtje.

'Ik bel meteen. U zult van harte welkom zijn, enne... hoog tijd dat ik thuis vertel dat Lars van die wilde plannen heeft. Zeker weten dat ze van harte meeleven.'

Natuurlijk zijn ze welkom. Sigrid verheugt zich erop haar ouders na de logeerweek terug te zien. Ze zullen verrast zijn als ze merken dat ze zo goed als genezen is van de pijn om de breuk met Jeroen.

Leuk om haar ouders de foto's te laten zien die ze van de opvang en de omgeving van de boerderij heeft gemaakt. En van het huis van tante Ada, en het interieur. Misschien gaat dan bij haar vader de bloedband werken.

Ze boffen die zaterdag met het weer. Tante Ada is in een geweldig goed humeur. Reden: er eens even helemaal uit te zijn.

Vlak voor ze het doel bereikt hebben zegt ze aarzelend: 'We hebben het er de laatste tijd niet over gehad, lieverd, maar hoe zit het met Jeroen? Ben je eroverheen of zit er nog een brokstuk?'

Sigrid ziet het voor zich. Een brokstuk van de liefde die ze gevoeld heeft.

'Ik weet het niet precies. Het is wel anders dan toen het pas uit was. Vergeten doe je het natuurlijk nooit. Ik had me volledig ingesteld op een leven met hem. Dus het was niet alleen de enorme teleurstelling, maar ook het feit dat ik iets moest afbreken en zorgvuldig weer opbouwen. Klinkt dat moeilijk?'

Ada zegt het toch wel te begrijpen. 'Je zegt het goed: eerst afbreken voor je aan wat nieuws kunt beginnen. Veel mensen bouwen voort op de ruïnes van wat is geweest. Dat is niet goed, eerst moet er een kaalslag plaatsvinden. Alles bezemschoon maken. Dat is de periode van herstel. Net als bij een flinke griep.' En dan, in één adem erachteraan: 'Ik ben toch zo benieuwd naar je vader, Sigrid!'

'We zijn er, tante Ada. Uw geduld wordt niet langer op de proef gesteld.'

Zoals gewoonlijk heeft moeder Anja op de uitkijk gestaan, net als de moeder van Jeroen destijds deed. Een pijnscheut brengt Sigrid even van de wijs.

Ze wuift naar haar moeder en helpt dan tante Ada met uitstappen. Vader Frits komt op hen toestappen, een hark in de ene hand.

'Je wilde ons toch niet meteen bij elkaar harken?' Sigrid omhelst haar vader, trekt dan tante Ada aan een hand dichterbij. 'En hier is ze dan, onze hippe tante Ada!'

Frits laat de hark vallen en legt beide handen op de smalle schouders van de voormalige schooljuf.

'Tante Ada, welkom in ons leven. Tjonge, alsof ik oma zie!' Hij geeft haar een pakkerd en trekt haar mee naar binnen. 'Straks samen foto's kijken, tante Ada. Ik heb foto's waar familieleden op staan van wie ik de naam niet ken. En u wel, neem ik aan.'

Sigrid glipt langs hen heen en vliegt in de geopende armen van haar moeder. 'Mama! Wat fijn om jullie weer te zien!'

Even later zitten ze, gekalmeerd, aan de koffie. Tante Ada bewondert de locatie waar het huis staat, de inrichting en uiteindelijk de bewoners. 'Familie, ik heb eindelijk weer familie! Jullie weten niet hoe goed dat is voor een oud mens. Eerlijk, ik heb genoten van het gezelschap van Sigrid. En het is geweldig dat ze nog wat blijft!'

Blijft?

Sigrid likt haar gebaksvorkje af en legt uit.

'Ten eerste heb ik een baantje, dat heb ik toch gemaild? Bij de naschoolse opvang en echt, ik vind het geweldig leuk. Maar er is veel meer...'

Lars, de muziek, de zanger Dennis Verplanken.

De naam komt de ouders vaag bekend voor. Wat gaan ze dan zingen? Toch geen popmuziek?

Sigrid lacht. 'Wat is er mis met pop? Nee hoor, wees gerust, lieve ouders. Je zou het christelijke pop kunnen noemen. Maar daar zijn de teksten te serieus voor. Het zijn oude en overbekende liederen in een hippe jas. Lars denkt dat het een goede tegenhanger is voor veel andere soorten muziek. Afwachten maar. We hebben een paar optredens geboekt en ik oefen dagelijks om me in te zingen. Eigenlijk vind ik het een beetje eng, maar Dennis en Lars roepen steeds dat ik een dijk van een stem heb. Geen solostem, maar dat wisten we allang. In combinatie met de stem van Dennis lijkt het wat. Tja, we zijn een goed koppel.'

Dat komt er tevreden uit en in de ogen van Anja en Frits is even iets te lezen wat Sigrid er niet in wil zien.

'Je hebt dus iets om naar uit te kijken,' stelt Frits vast.

Sigrid knikt. 'Jullie moeten echt eens komen kijken op de biologische boerderij. Arjen, de boer, is zo druk met zijn manier van werken te promoten, dat hij vaak meer op weg is dan thuis. Gelukkig heeft hij twee knechten die ervoor zorgen dat het werk doorgaat. Weet je, ik kijk in de supermarkt tegenwoordig uit naar biologische producten als ik voor tante Ada de boodschappen mag doen.'

Ada roept dat het besmettelijk is. 'Als je ziet hoe diervriendelijk het er bij Susan en Arjen aan toegaat, vergeleken met een andere manier van vee houden, dan wil je niet anders dan vlees van dieren die op die manier hebben geleefd. En dan de eieren... véél lekkerder en zelfs de schaal is steviger!'

Anja en Frits schateren. Tante Ada lijkt wel een pleidooi te houden voor de bioboeren.

'En, Sigrid, blijf je al die tijd bij tante Ada wonen? Dan zul je kost en inwoning moeten betalen, vind ik. Is ze u niet tot last, tante Ada?' informeert Sigrids moeder.

Ada schudt haar hoofd zo verwoed dat haar knotje losschiet. Met beide handen brengt ze het kapsel weer in orde.

'Ik geniet van het gezelschap. Lars woont ook bij mij en dat gaat zo goed. En geld? Die paar happen die Sigrid tot zich neemt stellen niets voor. Bovendien betaalt Sigrid stiekem vaak de boodschappen. Terwijl ze toch bij de opvang niet veel verdient.'

Anja en Frits zijn zo verstandig hun dochter niet van advies te dienen en hun kritiek voor zich te houden. Ze zijn allang blij dat Sigrid zo veel vrolijker de wereld in kijkt dan enkele weken terug.

Het liefst zagen ze dat ze aan een nieuwe studie begon om verzekerd te zijn van werk en een goede toekomst. Al zijn die voorwaarden vandaag de dag twijfelachtig.

Ze kwebbelen opgewekt door tot aan de lunch, naar onderwerpen hoeft niet gezocht te worden.

Later, als Frits en Ada zich over oude fotoboeken buigen, trekt Sigrid zich boven terug om kleren uit te zoeken die ze graag wil meenemen. Af en toe klinken geluiden van beneden tot haar kamer door: de zware lach van haar vader, gilletjes van tante Ada. Sigrid glimlacht voor zich heen. Leuk om tante Ada zo blij te zien!

Ze sjouwt een paar tassen met zomerse kleding de trap af. In de kamer vindt ze haar vader met een pen in de hand, bezig namen onder foto's te schrijven. Tante Ada heeft blosjes op haar wangen van opwinding. Ze vertoeft duidelijk in het verleden!

'Dat was die en die... weet je wat er met hem is gebeurd? En o ja... opschudding in de familie...'

Het ene verhaal lokt het andere uit.

Dan is het tijd voor thee en als de albums zijn opgeborgen, informeert tante Ada of het mogelijk is even naar het centrum te gaan.

'Zo vaak heb ik de kans niet een echt grote stad te bezoeken.'

Maar natuurlijk. Anja en Sigrid willen graag mee. 'Anders zou u verdwalen, tante Ada.'

Frits is met zijn gedachten nog bij de foto's. 'Ik zal ze inscannen, tante. Dan stuur ik ze naar de computer en print ze uit. Ach, sorry... ik praat in uw ogen natuurlijk wartaal.'

Ada lacht hem hartelijk uit. 'Ik ben dan wel een oude dame geworden, beste Frits, maar wél met mijn tijd meegegaan. Dankzij de jonge mensen om mij heen. Het een haalt het ander uit.'

Een halfuur later, nadat er met veel moeite een parkeerplaats is veroverd, zegt tante Ada verbijsterd te zijn over de hoge parkeertarieven. 'Als het leven op alle gebied hier zo veel duurder is, blijf ik toch liever waar ik ben.'

Sigrid geeft tante Ada een por. 'Net alsof u autorijder bent,' plaagt ze.

Sigrid en haar moeder passen zich aan: tante Ada bepaalt het tempo én de zaken waar nodig binnen een kijkje moet worden genomen.

En dan gebeurt wat Sigrid al vreesde.

Als ze in haar favoriete restaurant zitten met een kopje koffie en gebak, ontdekt ze Jeroen en zijn nieuwe liefde. Ze had kunnen weten dat deze gelegenheid óók Jeroens lievelingsadresje is. En ook dat hij op zaterdagmiddag graag door de stad scharrelt.

Sigrid laat zich wat onderuit op haar stoel zakken en houdt zich voor dat het toch eenmaal moest gebeuren. Nu of een andere keer.

Testen, ze moet zichzelf testen wat het zien van hem haar doet, nu er toch minstens twee maanden voorbij zijn gegaan na de breuk.

Jeroen heeft het druk met zijn vriendin, zo te zien. Ze lachen saamhorig, af en toe raakt hij haar aan. Een tikje op de arm, een hand over die van haar. Sigrid weet hoe die hand van hem voelt. Bezitterig, zo van: ziet iedereen dat deze vrouw de mijne is? Het maakt dat jij je als vrouw geliefd weet. Iedereen mag het zien.

'Sigrid...' aarzelt haar moeder.

'Ik heb hem gezien, mam. Misschien lopen we elkaar mis. Ik drink in ieder geval wél mijn koffie op!'

Tante Ada kijkt haar verbaasd aan. 'Waarom zou je niet? Het is voortreffelijke koffie. Zou dat van het apparaat komen of is het de koffie zelf? En het gebak is niet te overtreffen.'

Ze knikt voldaan, volgt dan Sigrids blik met haar ogen. 'O, je ziet iemand die je liever niet zag. Is dat hem nou? Kind, dan ben je nu toch véél beter af!'

Anja zet grote ogen op. Beter af? Met wie dan wel? Is er iets wat ze nodig moet weten?

Sigrid schudt haar hoofd.

'Beter alleen, mam, dan een relatie die je later betreurt, dat bedoelt tante Ada. Ik heb de koffie op, zullen we?'

Ada is niet zo snel, ze verontschuldigt zich. 'Waarom ga je niet even naar het toilet?'

Dat is een idee. Sigrid staat stuntelend op, ze schuift de stoel terug op z'n plaats. Dan zul je net zien dat de nieuwe vriendin ook een toilet opzoekt, gaat het door haar heen. Gelukkig voor Sigrid is dit niet het geval.

Jeroen, Jeroen, Jeroen! Zijn naam dendert door haar hoofd. Heeft ze er echt goed aan gedaan niet beter haar best te doen om hem terug te krijgen? Wilde ze dat dan?

Nee, opeens weet ze het heel zeker.

Voor de spiegel wast ze haar handen, ze kijkt zichzelf in de ogen. Lelijk is ze bij lange na niet. Haar ogen zijn opvallend, door de vorm en de helderblauwe kleur. Ze kamt haar haar, dat in golven tot op haar schouders valt. Ook niets mis mee. Ze produceert een glimlach. Tanden die dankzij een beugel netjes op een rij staan. Een doorsneemeid. En toch ook weer niet, want is niet ieder mens anders? Ze recht haar schouders, doet haar sjaal af en plooit hem opnieuw. De kleur staat haar goed. Ze is klaar om – zo nodig – Jeroen te ontmoeten. Maar als ze hem kan ontlopen, graag.

Ze is bijna terug bij het tafeltje waar haar moeder en tante Ada in gesprek zijn, als ze een bekende hand op haar rug voelt. Langzaam draait ze zich om, wetend van wie die hand is.

'Jeroen.'

'Sigrid, lieverd, wat hebben we elkaar lang niet gezien. Hoe gaat het met je? Nog steeds in de etalage?'

Ze wacht een moment met antwoorden. Die vraag is dubbel uit te leggen. In de etalage: te koop, wie wil me graag hebben?

Ze glimlacht traag.

'Niet bepaald, Jeroen. Ik heb mijn grenzen verlegd. En jij? Al verhuisd?'

Hij grijnst en zegt dat hij uiteindelijk niet is verhuisd. 'De kwestie ketste af en ik koos ervoor om in mijn oude baan te blijven. Tja, zo gaan die dingen.'

Zwijgend kijken ze elkaar aan. 'Hoe gaat het met je vader?'

Jeroen haalt zijn schouders op. 'Hij wil naar een tehuis, maar dat lukt niet zonder meer. Sinds moeder er niet meer is, lijkt hij lastiger te zijn. Hij belt vaak, verwacht van alles van mij. Enfin, hij is al behoorlijk op leeftijd.'

Sigrid reageert niet. Op leeftijd, nog even en pa is bij moeder. Dat bedoelt hij. Kouwe kikker, scheldt ze vanbinnen.

'Wel, dat was het dan, Jeroen, het beste.'

Ze keert zich van hem af en loopt met opgeheven hoofd naar de twee wachtenden.

'Kindje toch!' zucht haar moeder.

Sigrid schudt haar hoofd. 'Niets aan de hand. Kom, zijn jullie zover? Ik wil nog even kijken of er wat leuks hangt in die ene boetiek, je weet wel, mam.'

Als bij afspraak steken tante Ada en Anja een arm door die van Sigrid, zodat ze zich voelt alsof ze wordt opgebracht. Ze laat het toe, schiet in de lach. Zo lopen ze tot ze bij de bedoelde boetiek zijn.

Sigrid wéét dat ze nu dingen gaat aanschaffen die als troost zijn bedoeld. Emo-inkopen, noemt ze het voor zichzelf.

Aan de overkant van de straat lopen Jeroen en zijn vriendin hand in hand. Ze blijven voor een bruidszaak staan. Sigrid vraagt zich af of dat voor haar is bedoeld.

Ze trekt de andere vrouwen mee de winkel in en koopt niet alleen een vlotte broek, maar ook twee bijpassende lange bloezen en nog een vestje. Nieuwe dingen voor de uitvoeringen die Lars heeft gepland.

'Je krijgt het van mij,' fluistert haar moeder bij de kassa. Daar staan ze dan, beiden met een portemonnee in de hand.

'Te gek, mam. Kan dat echt wel? Ik verdien nu...'

'Het kan. Afgesproken met je vader.'

Opgevrolijkt door de aankopen vervolgen ze hun weg. Tante Ada zwicht voor een japon die haar doet denken aan de jaren vijftig. 'Alles komt terug, maar de stoffen zijn wel heel anders. Zo niet, dan zou je toch aan het bewaren slaan,' vindt ze.

Net als ze denken huiswaarts te willen gaan, stuiten ze op een winkel die tweedehandsboeken verkoopt. 'Even kijken!' smeekt tante Ada en ja, ze heeft geluk, ze vindt een dikke uitgave van *Bruintje Beer*. Geen eerste druk, maar voor haar waardevol.

'En nu naar huis,' meent Anja onverbiddelijk. Haar gedachten snellen vooruit. Tante Ada en Sigrid hebben nog een flinke rit voor de boeg en een vermoeide chauffeur vindt ze maar niets.

Sigrid duwt de gedachten over Jeroen van zich af. Vanavond in bed kan ze daar altijd nog over denken.

'Was het niet oergezellig?' roept tante Ada als ze voor het huis van haar achterneef stoppen.

'Dat was het.' Moeder en dochter reageren hetzelfde. Anja voegt eraan toe: 'En het is voor herhaling vatbaar, tante Ada. Of niet soms, Sigrid?'

Op de terugweg staat de mond van tante Ada niet stil. Heel de dag passeert de revue. Op het laatst zegt Sigrid op goed geluk ja en nee.

Het wordt die dag erg laat voor Sigrid de gelegenheid heeft om aan de ontmoeting met haar ex te denken. Maar dan is ze zo moe dat het er niet van komt.

10

DE DAGEN NA HET UITSTAPJE STAAT DE MOND VAN TANTE ADA NIET STIL. Jeroen! Ze is blij hem persoonlijk gezien te hebben. Nee, die man? Niets voor Sigrid. Goed dat het uit is. Ze was vast en zeker ongelukkig geworden en dan had ze vastgezeten in een huwelijk. Want hoe denkt Sigrid over echtscheiding? Dat is toch niets en niets dan ellende? Bovendien: wat God samenvoegt, mag de mens niet scheiden, staat het zwart op wit.

'Tante Ada, als een huwelijk op springen staat en mensen elkaar alleen maar ongelukkig maken, dan zit er toch niets anders op?'

Tante Ada heeft een ideaalbeeld wat betreft het huwelijk. Ze weet – als ongehuwde – precies hoe het wél en niet moet.

'Je zou stukken beter af zijn met Lars, die liever. Niet dat de jongen nooit verliefd is geweest, maar dat verliefd zijn is nog geen huwelijk met alles erop en eraan. En dan die zanger, Dennis Verplanken – ik kan niet wennen aan dat Dennis Versa, wat is dat voor naam! – wat ik wil zeggen: het is zo'n gelovige jongen. En van je eigen leeftijd. Kindlief, je hebt de mannen voor het uitkiezen.'

Sigrid lacht maar wat. Nee, ze heeft voorlopig geen behoefte aan een man. De omgang met Jeroen heugt haar nog als de dag van gisteren. Ook al ligt er thuis, bij haar ouders, een halve uitzet op haar te wachten. Wel, als ze ooit op zichzelf gaat wonen, komt die goed van pas. Ook zonder Jeroen.

Ook al was het behoorlijk schrikken, ze is toch blij Jeroen teruggezien te hebben. In de eerste plaats is daar de ontdekking dat ze niet meer warm of koud van hem wordt. Net of ze dwars door hem heen kon kijken en opeens de echte Jeroen zag. Niet de man die haar het hoofd op hol bracht en haar een mooie toekomst voorspiegelde.

Maar Lars? Dennis? Als opvolger van Jeroen?

Sigrid heeft meer over zichzelf ontdekt: ze is op haar vrijheid gesteld geraakt. Het is geweldig om vrijblijvend bevriend te zijn. Samen lachen, dat vooral, want met Jeroen viel er niet veel te lachen. Maar meer zijn daar de plannen voor de toekomst van belang. Ze heeft enorm veel plezier gekregen in het zingen van de duetten. Bewondering heeft ze voor de techniek die beide mannen toepassen. Zoals bij het lied: *Op die heuvel daarginds.* Als ze aan het woord 'kruis' toe zijn, worden meerdere stemmen toegevoegd. Dennis zingt normaal bariton, maar met een beetje inspanning zingt hij ook de baspartij en zelfs heel hoge noten komen er acceptabel uit.

Met Pasen is de primeur. Zowel Lars als Dennis zien ernaar uit, zonder enige vorm van spanning. Sigrid daarentegen krijgt kramp in haar maag alleen al bij het denken daaraan! Alleen als ze druk doende is in de kinderopvang, lukt het zich bij andere dingen te bepalen. De kinderen met huiswerk in hun pakket zijn dol op haar. En dan is daar Eveline, die meent haar te kunnen claimen. Hoe lief het kind ook is, Sigrid ontdekt dat ze ook verwend is door haar overbezorgde vader.

Als Eveline les krijgt op haar pony, staat haar vader doodsangsten uit. De pony, die nu Goldie mag heten, heeft op de bioboerderij een plekje gekregen en is daar zichtbaar gelukkig. Wat het veranderen van namen betreft, vindt Eveline in Ineke haar gelijke. Want zelfs de hondjes van Ineke krijgen geregeld een nieuwe naam.

Om extra inkomsten te verwerven heeft Arjen een man gevonden die jonge kinderen ponyles wil geven. Een man die ooit hoog op de ladder van dressuur stond en zelfs internationale wedstrijden won. Door een val van zijn paard is dat alles verleden tijd. Maar dankzij de liefde voor de paardensport vindt hij bevrediging in het lesgeven.

Sigrid is soms verbaasd als ze ziet wat Arjen en Susan allemaal op poten weten te zetten. 'Allemaal investeringen voor de toekomst, Sigrid. Arjen heeft nog een knecht moeten aannemen omdat hij lesgeeft. De opleiding tot biologische boer in de polder lijkt soms meer zijn hart te hebben dan het eigen bedrijf.' Susan zegt vaak berustend: 'Hij gáát voor zijn ideaal, en dat ideaal heeft wel de toekomst.'

Nu de lente flink doorzet, is er ook meer te zien in de hof, zoals Arjen en Susan de grote groentetuin noemen waar de zogenaamde vergeten groente wordt verbouwd.

'Binnenkort hebben we open dag, Sigrid. Dan komt er een kok demon-streren die ook vaak op tv is. En geloof maar dat het mensen trekt! We hebben speciaal voor dat doel een schuur vrijgemaakt. Hij laat onder andere zien wat je met appels meer kunt doen dan moes en sap maken. Dit jaar hebben we een perk met keukenkruiden. En gelukkig zijn er liefhebbers die gratis komen helpen wieden. Want je weet: we houden niet van die bestrijdingsmiddelen.'

Susan, die van schooljuf boerin is geworden op biologische grondslag. Ze is minstens zo enthousiast als haar man.

Ongemerkt krijgt zelfs Sigrid er een tik van mee: in de supermarkt kijkt ze in de schappen naar biologisch geteelde groenten en fruit, en ook wat betreft het vlees is ze kieskeurig geworden. Tante Ada is het met haar eens. 'Terug naar vroeger, voordat we vergiftigd werden met chemicaliën.'

Ja, tante Ada slaat in haar enthousiasme nog weleens door.

Tegenwoordig gaat Sigrid neuriënd door het leven. Lars biedt haar een triangel met stokje aan, zodat ze mee kan doen als ze in de kerk gaan zingen. Hij weet precies hoe hij haar aan het lachen kan maken en daardoor is hij verzekerd van een plek in haar hart.

Hun muziekplannetjes zijn doorgedrongen tot de dorpsbevolking, wat Lars doet roepen: 'Hier begint de victorie!'

Op Goede Vrijdag gaat Sigrid met haar tante naar de kerk waar het avondmaal wordt gevierd. Vorig jaar, herinnert Sigrid zich, was het een hele toer om Jeroen mee te krijgen. 'Het zegt me zo weinig!' had hij geklaagd.

Daar schrok Sigrid toen van. Ze las hem – liefdevol – de les. 'Het is niet zomaar een ritueel, Jeroen. Het is een opdracht. Je weet toch wel wat Jezus zei tegen Zijn discipelen? Doe dit tot Mijn gedachtenis...'

Hij liet haar niet uitspreken. 'Ik ben dan wel niet naar een christelijke school geweest, meisje, maar wel naar de zondagsschool. Maar wees eerlijk: het staat zo ver af van het daagse leven. Gelden die oude rituelen nog wel?'

Jeroen houdt en hield niet van discussies, beseft Sigrid nu. Hij zou haar nooit belet hebben om naar de kerk te gaan en haar geloof te beleven. Ja, trouwen in de kerk, daar stond hij ook op. En als er kinderen kwamen... een christelijke opvoeding staat ook voor een soort beschaving, vond hij, niks mis mee.

Sigrid is, terugkijkend, dankbaar dat ze haar opvattingen niet meer hoeft te verdedigen.

Pasen, dan is het zover. Het is een echte Hollandse voorjaarsdag. Een schrale wind die je doet ontdekken dat de warmte van de zon bedrieglijk is.

Het muziekgroepje krijgt een plekje vooraan in de oude en pas gerestaureerde dorpskerk.

En natuurlijk is tante Ada er ook, met rechts en links een vriendin.

Lars en Dennis zijn de kalmte zelf, maar Sigrid vreest dat ze geen noot kan zingen. Haar keel voelt dik aan van spanning. Het is of ze in een van de door haar verzorgde etalages zit. Ze ziet nu wat de predikant wekelijks voor ogen heeft: stoelen met mensen die kijken.

Sigrid vraagt zich af wat er in al die hoofden omgaat. Ze kent al menig gezicht. De uitgebreide familie Huizinga. Thijmen Schreurs met zijn dochtertje. Een paar leidsters van de crèche en ouders van hun klantjes. En natuurlijk Susan, die ongemakkelijk zit op de rechte stoel. Ze leunt lichtjes tegen Arjen aan, die een arm om haar schouders slaat. Nog tweeënhalve maand, dan hopen ze vader en moeder te worden.

Behalve Lars en Dennis zijn er nog een paar musici. En boven, bij de organist, hebben twee mannen met hun trompet plaatsgenomen.

Als het orgel begint te spelen en de trompetten invallen, wandelt de predikant door het middenpad, gevolgd door ouderlingen.

Sigrid kromt haar tenen en dan fluistert Lars naast haar: 'Het wordt geweldig. Je zingt niet voor jezelf of de mensen, maar voor Hem!' Hij knikt naar een houten kruis op het podium, dat een prominente plek inneemt.

Sigrid herademt en herschikt haar gevoelens. Lars heeft gelijk, beseft ze. En opeens wordt ze rustig. Ze volgt aandachtig al wat gebeurt. De inleiding, de collecte, de aankondiging van het te zingen lied.

De dominee weidt uit: het ruwhouten kruis, dat was wel wat anders dan het kruis uit de kerk dat is gemaakt van hout dat geschaafd en gelakt is. Hij gaat nog verder, wat Sigrid doet denken: dominee, er zitten ook jonge kinderen in de kerk!

Ze merkt dat de dominee ervaring heeft. Hij glijdt met zijn woorden naar het 'ouderwetse lied' *Het ruwhouten kruis*.

'Bij mijn ouders stond, zoals bij velen destijds, een liedbundel op het orgel. Bij ons was dat orgel een instrument dat zwoegend deed wat voeten eisten. Vaak duurde het even voor de juiste toon klonk. Nóg hoor ik de stemmen van mijn ouders als ze zongen: *Daar juicht een toon, daar klinkt een stem*. Maar eerst was daar dat andere lied met die smartelijke tekst. Kent u het nog, ouderen?'

En dan zingt hij totaal onverwacht, de beginregel.

Lars schokt op, want de predikant heeft een volle stem. Hij denkt: wat een materiaal!

Het blijft bij die ene regel: 'Op die heuvel daarginds, stond een ruwhouten kruis...' En dan roept de predikant erachteraan: 'Het symbool van vervloeking en schuld!'

Het is alsof hij al aan de prediking wil beginnen, vreest Sigrid. Ze kijkt over de hoofden van de kerkgangers en ziet dat de deuren geruisloos geopend worden. Het is even schrikken: niemand minder dan haar ouders zijn de laatkomers. De koster wijst hun een plek waar ze kunnen zitten en even is er oogcontact.

De aankondiging is Sigrid ontgaan en als Lars gaat staan, schiet ze overeind. Leuk, mam en pap onder de toehoorders! Ach, waar is ze bang voor geweest? Ze hebben geoefend, tot in den treuren. Ze geven alles, zingen met hun hart in de stem en het roert de mensen duidelijk.

Sigrid denkt, als de laatste noot is weggestorven: als men nu maar niet applaudisseert.

Maar jawel, de mensen kunnen het niet laten.

De dominee knikt het groepje toe en als de rust is weergekeerd, bedankt hij hen voor hij zegt: 'Laten we bidden. De Heer van het kruis luistert.'

Bij het uitgaan van het kerkgebouw neuriën sommige mensen de wijs van *Het ruwhouten kruis*.

Later, als Sigrid met de familie aan de koffie zit, zegt haar vader vol overtuiging dat het vernieuwen van oude liederen een gouden greep is. 'Goeie titel voor de cd,' glundert Lars. 'De Gouden Greep.'

Sigrids vader gaat door: 'Tante Ada mag dan enthousiast zijn over de moderne aanpak, maar dat zijn lang niet alle ouderen. Jullie hebben de gulden middenweg gekozen en dat is alleen maar slim. Je bereikt er een vergeten groep mensen mee, lui die niet meer naar de kerk gaan, om wat voor reden dan ook. En zij die in tweestrijd zijn. De liederen spreken de herinnering aan. Ik zou zeggen: schiet een beetje op met die cd!'

Tante Ada valt hem bij en bekent dat ze dankzij Lars ook van meer moderne muziek is gaan houden.

Sigrid geniet. Heerlijk om zo samen te zitten met de mensen van wie ze houdt.

'Dus als ik het goed begrijp, zijn we onze Sigrid kwijt?' Anja hapt het laatste stukje van de paastaart weg. Taart met kuikentjes van marsepein, bloemetjes en toefjes slagroom.

'Ze mag hier logeren zo lang als ze wil,' roept tante Ada boven het geroezemoes uit.

Sigrid haalt diep adem om een mededeling te doen die tante Ada niet prettig zal vinden.

'Susan en Arjen hebben me aangeboden in de stacaravan te gaan wonen. Het lijkt me leuk, daar niet van, maar ik heb het gevoel dat ik dan tante Ada op de tenen trap.'

Ada verschiet van kleur. Toegeven dat haar logee het bij het rechte eind heeft? Ze peinst er niet over. Haastig komt ze met: 'En, heb je al toegezegd? Je zit mij niet in de weg, integendeel. Maar ik kan me voorstellen dat je graag meer ruimte wilt hebben voor jezelf.'

Lars roept teleurgesteld te zijn. 'Het is juist zo knus, Sigrid. Waarom doe je dat nou?'

Sigrid is er verlegen mee. Ze heeft nooit goed voor zichzelf kunnen opkomen.

'Tja, ik moet veel oefenen, Lars, dat zeg je zelf. En Arjen heeft nog een oud elektronisch orgeltje staan, dat ik mag gebruiken. Handig voor als ik sommige melodieën niet goed ken. Bovendien kunnen ze me bij de opvang goed gebruiken.'

Tante Ada berust.

De ouders van Sigrid zeggen na het eten graag de stacaravan te willen bekijken.

'Hij is compleet ingericht, het voormalig 'paleis' van Susan. Ik heb nog nooit een eigen onderkomen gehad, dus het lijkt me wel leuk. En tante Ada, ik blijf hier de deur platlopen, hoor.'

Diezelfde dag komen er al reacties binnen van kerkgangers die hun muziek hebben gewaardeerd. 'Helemaal van deze tijd!'

Tja, waarom nieuwe liederen zoeken en maken als er zo veel moois voorhanden is?

Sigrid is zo opgelucht dat het goed is gegaan. Lars en Dennis zijn gewend in de belangstelling te staan, voor haar is het nieuw en echt wennen.

Zoals gepland vertrekt het gezelschap naar de bioboerderij, terwijl tante Ada zegt een poosje te willen rusten.

Ook Susan en Arjen zeggen de muziek gewaardeerd te hebben, en van veel mensen vernamen ze dezelfde reactie. Susan stopt Sigrid de sleutel van de caravan in de hand. 'Het is er een beetje muf, doe de ramen maar ver open. Een schoonmaakbeurt en je kunt erin.'

Het gras tussen de hokken is pas gemaaid met als gevolg dat ze allemaal groene sprietjes mee naar binnen brengen.

'Hoe kan het hier kouder zijn dan buiten?' verbaast Sigrid zich terwijl ze de ramen zo ver mogelijk opent.

De poes van Susan loopt mee naar binnen. Hij heeft hier zo lang gewoond.

'Ik ben enthousiast. Mam, ik vind het vervelend tante Ada op haar tenen te trappen. Ze keek zo sip... maar eerlijk gezegd ben ik het logeren een beetje beu. Ze verwacht dat ik meega in de dingen waar ze zelf enthousiast voor is en in het begin is dat logisch. Ze heeft me aan haar vrienden voorgesteld, we doen samen boodschapjes en dat soort dingen. Ik heb de band met de mensen van de bioboerderij aan haar te danken, toch?'

Anja knuffelt haar dochter.

'Lief van je dat je zo over tante Ada praat. Het is een lief mens dat behoefte aan familie heeft. Niks mis mee. Maar vrijheid, blijheid! Nu vertrek je omdat je een goede reden hebt: de kans op zo'n behuizing vind je geen tweede keer. En wie weet hoelang je hier wenst te blijven. Als Lars en zijn band blijven groeien en jij daar deel van uitmaakt, is het beter voor alle partijen dat je verhuist. Een moeder moet ook toezien als haar kinderen de deur uit gaan, waarom zou tante Ada dan problemen maken?'

De mannen hebben het gauw bekeken. De stacaravan is voor Lars niet nieuw, zijn zus heeft er immers lang gewoond.

Anja ziet dat de ogen van haar dochter glimmen. Een eigen onderkomen.

Sigrid volgt haar gedachten. 'Heel wat anders dan Limburg, mam... Ik heb ontdekt dat ik eindelijk los ben van Jeroen.'

De kleine poes springt van bank tot bank, komt kopjes halen.

'Je moet hier wel aan de slag. Kijk eens of ze de koelkastdeur wel hebben opengelaten? Zo niet, dan heb je een probleem.'

Sigrid constateert dat ook dit in orde is. 'Ik zou zo aan het poetsen willen slaan. Zo fijn, mam, om weer een doel te hebben. Maar of dat zingen voor mij echt toekomst heeft? Ik weet het niet. Voor mij tien anderen. Dennis heeft zo veel relaties in die branche. En echt bijzonder is mijn stem niet.'

Afwachten, vindt haar moeder, die probeert erachter te komen of haar dochter bezig is haar hart aan Lars of Dennis te verliezen. Haar kennende, weet ze zeker dat Sigrid niet met een nieuwe liefde voor de dag zal komen voor ze zeker is van haar zaak. Stille wateren hebben diepe gronden, dat slaat zeker op Sigrid!

Susan zegt blij te zijn met Sigrid als huurster. 'Meer dan eens doet een van de knechten een gooi naar de stacaravan. Maar ik wil niet iedereen erin hebben, jou dus wel. Ook nog gezellig, een vriendin in de buurt.' Vriendin, Sigrid is er trots op dat Susan dat woord naar haar toe gebruikt.

De dag na Pasen rijdt Sigrid met een verheugd hoofd en hart naar de bioboerderij. Ze heeft pas dienst als de naschoolse jeugd arriveert, tot die tijd kan ze poetsen. Ze sjouwt de matras en de kussens van de meubels naar buiten en zet ze in de scherpe lentezon voor een opfrisbeurt. Inderdaad, de stacaravan is compleet ingericht. Ze vindt in de werkkast, die praktisch is ingericht, zelfs een kleine stofzuiger waarmee ze driftig aan de gang gaat.

Susan komt kijken en applaudisseert. 'Meid, ik spijbel even. Mijn buikje zit me zo dwars. Het is dat er een echo is gemaakt en dat ik weet dat het er geen twee zijn. De jongen zal op Arjen lijken, die is ook nogal fors. Hé, je hebt zeker nog geen koffie?'

Sigrid schudt haar hoofd. 'Wel een pot, zag ik. Even bij je thuis halen?'

Susan grinnikt en gaat op een eetkamerstoel zitten. 'Doe maar. Haal maar uit de crèche. Vergeet niet een filterzakje mee te nemen. En koekjes.'

Susan kijkt tevreden om zich heen. Ze aait de poes die het hier duidelijk meer naar zijn zin heeft dan in de boerderij en voelt zich happy. Ja, ze is hier gelukkig geweest, en datzelfde wenst ze Sigrid toe.

'Ik laat me bedienen, Sigrid. Fijn toch dat je hier stromend water hebt, het is destijds allemaal keurig aangelegd.'

Ze kijkt toe hoe Sigrid in het minikeukentje de koffiepot grondig uitspoelt voor ze water in het reservoir giet. Even later zweeft de verleidelijke geur van verse koffie vanaf het aanrecht de woonkamer in.

'Ik heb een mattenklopper nodig,' zegt Sigrid terwijl ze wacht tot het water is doorgelopen.

'Wat is dat voor een ding? Die gebruik ik helemaal niet.'

Sigrid lacht haar uit en zegt dat ze zelf huishoudelijk is opgevoed.

Susan rimpelt haar neus. 'Ik niet echt. Mijn moeder is van het bedienende soort. Pa en ma zijn schatten, ze hebben wel iets weg van jouw ouders. Zelfde leeftijdsgroep. Arjen kan goed met hen overweg en Ineke... die zegt vaak dat ze eindelijk ouders heeft. Terwijl ze nog niet eens is getrouwd.'

Sigrid pakt een paar mokken die stoffig zijn. Onder de kraan ermee. Even later genieten ze van het bruine vocht. Ze kijken elkaar aan en denken hetzelfde: het is goed toeven in dit huisje.

Als Susan opstaat om te vertrekken, zegt ze dat Sigrid het maar moet zeggen als ze vindt dat ze te vaak komt. 'Ik weet uit ervaring dat het vervelend kan zijn. En de poes neem ik mee, het is toch te gek dat het dier liever hier is dan in huis.'

Door het raam van de kamer ziet Sigrid even later dat de poes zich al heeft los geworsteld voor Susan bij het hek van de speelweide is en op een holletje terugrent naar de stacaravan.

Voor het tijd is om naar de naschoolse opvang te gaan, is Sigrid klaar. Alles wat blinken moet, blinkt en de vermoeidheid die ze ervaart, voelt zelfs prettig aan. Ze is voldaan.

Een mattenklopper was niet te vinden, dus kussen en matras heeft ze met een stevige stok bewerkt, tot vermaak van een paar knechten, die spontaan hun hulp aanboden.

Als Eveline verneemt dat Sigrid gaat verhuizen, is ze enthousiast. 'Dan heb je een huis voor jezelf, Sigrid. Zou ik een keer bij je mogen logeren? Ik zal je overal mee helpen. Koken en afstoffen. Afwassen ook, want je hebt natuurlijk geen vaatwasser. Ik ben weleens in de caravan geweest, hoor.' Ze kijkt Sigrid lief aan, een hunkering in de ogen.

'Vast wel. We maken van de bank een bedje voor je. Maar eerst moet ik zelf verhuisd zijn. Weet je wat, als ik ingericht ben, geef ik een feestje en dan mag jij me helpen.'

Goed idee, Eveline vindt het een 'strak plan'. 'En natuurlijk mag papa dan ook komen, toch?'

'Hoe meer zielen, hoe meer vreugd, meisje. Maar nu wil ik eerst je tekenvorderingen zien.'

's Avonds, bij tante Ada aan tafel, weet Sigrid zich te beheersen. Niet nodig om tante Ada pijn te doen. Dat ze vertrekt is al erg genoeg voor haar, enthousiaste verhalen over de stacaravan hoeven daar niet aan toegevoegd te worden. Bovendien voert Lars het hoogste woord. Optreden in Arnhem, dat staat voor de deur. Met Dennis heeft hij het programma nog eens doorgenomen.

'Wat voor publiek denk je dat er komt?' vist Sigrid.

Lars somt op: 'Net als hier in de kerk, denk ik. Maar vergeet niet dat de naam Dennis Versa bekend is. Híj heeft al een fanclub, zogezegd, en die zal zeker niet verstek laten gaan.'

Later, voor ze gaat slapen, maakt Sigrid rechtop in bed zittend een lijstje van spullen die ze van huis wil halen. Dingen die bestemd waren voor het huis in Limburg. Zonder al te veel moeite weet ze de herinnering daaraan te verdringen. Er is zo veel nieuws aan de horizon opgedoken! Verwarrend veel zelfs. Maar daar zit ze niet mee. Ze durft weer vooruit te denken!

11

De stacaravan is met weinig moeite tot een echt thuis te maken. Susan heeft plezier in het enthousiasme van Sigrid.
'Zo is het mij ook vergaan, meid. Home sweet home. Ik wilde aanvankelijk het paleis dan ook aan niemand verhuren. Tot jij opdook, jou gun ik het van harte.'
Sigrid voelt zich gevleid, het is immers geweldig om opgenomen te worden in de kring van de bioboer!
'Je moet wel een feestje geven,' vindt Susan. 'Je kent onderhand zo veel mensen hier, die verwachten vast een uitnodiging. Ik help je wel organiseren. Om te beginnen nodig je mijn broers uit, Lars en Ron.'
Sigrid vindt het best.
Het is lente, de wereld om hen heen ontwaakt.
Binnenkort is er open dag op de bioboerderij. Het blijkt dat bij iedere gelegenheid meer en meer mensen belangstelling tonen.
'We houden een soort markt waar biologische producten worden verkocht. Niet dat alles uit eigen stal komt, was het maar waar. Zelf kaas maken staat nu als eerste activiteit op het programma. We hebben ondertussen heel wat connecties die ons bijstaan. En Arjen is een kei als het aankomt op voorlichting. Hij heeft geen spiekbriefje meer nodig. Als geen ander weet hij de toehoorders te boeien. Er komt een demonstratie kaasmaken, een paar koks laten zien wat ze kunnen met de biologisch geteelde producten en ze leggen ook gelijk uit wat het verschil is tussen biologisch geteelde groenten en dat waar we zo veel jaren aan gewend zijn. Arjen en zijn knechten scheren de schapen, dat trekt ook veel bekijks. En dan al die lammeren... Achter de schermen zijn we bang voor misgeboortes, vanwege een gemeen virus. Ach, Sigrid, er is op die dagen heel wat te doen, te veel om op te noemen. Ik was in het begin bang dat niemand op de uitnodiging zou reageren, maar Arjen lachte daar om. Hij kreeg gelijk: biologisch boeren is een hot item.'
Sigrid vindt het leuk om Susan zo enthousiast te zien. 'Mis je het onderwijs niet?'

'Niet meer. Dit hier vraagt zo veel aandacht. Ik heb niet eens tijd om terug te denken. Alleen is daar straks de bevalling. Volgens de vroedvrouw is alles in orde en ze vindt het overdreven dat ik per se in het ziekenhuis wil bevallen. Toch sta ik erop. Mocht er iets misgaan, dan ben ik op de juiste plek.'

Sigrid glimlacht. 'De biobaby.'

Als Susan de stacaravan wil verlaten, zegt Sigrid: 'Wat zal dat kindje het goed krijgen, zeg. Een mama die gezond eet en drinkt, volop vriendjes en vriendinnetjes en ook nog eens frisse lucht in overvloed!'

Het idee van een inwijdingsfeestje blijft bij Sigrid haken. Ze maakt een lijst met namen van de gasten. Wat schotel je hun voor? Als het weer meewerkt, kunnen ze naar buiten uitwijken. Ze heeft gezien dat er in de opslag van de crèche voldoende tuinmeubels staan.

Biologisch bier, bestaat dat al, net als biologische wijn? Natuurlijk wil ze reclame voor het bedrijf maken. Niet dat dit nodig is...

Al met al wordt de lijst genodigden langer en langer. De leidsters van de crèche kan ze niet passeren, en allemaal brengen ze hun partner mee. Twee vriendinnen van tante Ada zouden beledigd zijn als ze niet uitgenodigd zouden worden. En dan de mensen van het bandje. Het is net 'zwaan-kleef-aan', ontdekt Sigrid.

Maar er is meer waar ze zich druk om moet maken. Daar zijn de door Lars geboekte optredens in Arnhem en Zwolle. Sigrid vindt dat ze op elkaar afgestemde kleding moeten dragen. Dat staat professioneler. Dennis is het meteen met haar eens, Lars lacht haar uit. Maar het komt er wel van.

Ze oefenen nu met een paar musici en een klein backinggroepje. Enthousiaste mensen die zich voor de repetities moeiteloos vrij kunnen maken.

Zin en tijd om de winkels af te lopen voor uniforme kleding, hebben ze geen van allen. Dus het wordt postorderwerk. Zelfs dat valt niet mee, want iedereen heeft andere ideeën. Er komt bij dat iedereen zelf voor de onkosten opdraait, want veel verdiensten zijn er nog niet.

Te midden van al die bezigheden ontdekt Sigrid dat ze gelukkig is. Simpelweg: gelukkig! En dat zonder vriend of verloofde, beseft ze. Duidelijk voor haar dat een man géén voorwaarde voor welbevinden is. Tante Ada beveelt Lars en Dennis aan wanneer maar mogelijk is. Sigrid moet toegeven dat ze op beide mannen gesteld is. Maar nee, van verliefdheid is vooralsnog geen sprake. Terwijl ze toch over de gevoelens aangaande Jeroen heen is. Ja toch?

Er komt veel op haar af. Ze is nodig, in de opvang en bij de musici. Dat nodig zijn maakt dat haar leven weer zin heeft.

Als op een middag na schooltijd Eveline zich aan Sigrid vastklampt, is het even schrikken wat betreft de reden: ze smeekt Sigrid of ze wil helpen een cadeautje voor haar moeder te maken.

'Ze komt misschien hiernaartoe. Met haar nieuwe man, én ze heeft een verrassing voor me, Sigrid. Mama was zo lief aan de telefoon, en ik vind het naar dat papa daar niet tegen kan. Hij zegt dan: "Allemaal poespas. Toneelspel, trap er niet in, Eveline! Je moeder weet niet wat liefde is." Nou, dat weet ze vast wel, toch, Sigrid?'

Sigrid zegt haar moeder niet te kennen. 'Maar ik weet wel dat moeders niet anders kunnen dan van hun kinderen houden, Eveline.'

Eveline wil iets maken van breigaren, maar nee, breien wil ze niet. 'De kleurtjes zijn zo mooi, allemaal verschillende op één kluwen. Weven of punniken duurt te lang.'

Sigrid stelt voor dat ze iets op karton borduurt. 'Dat kan heel goed als je van tevoren met een prikpen gaatjes maakt. Dan glijdt de naald er zo door. Wat vindt je moeder leuk? Bloemen, een pony, misschien de vorm van je hand?'

Eveline aarzelt. Zelf zou ze voor een pony kiezen. Maar ja, een hand... dat móét een mama toch leuk vinden?

Even later kan ze beginnen met borduren, nadat Sigrid de voorbereidingen heeft getroffen. Ze heeft op slap karton het magere handje omgetrokken, daarna kan Eveline de gaatjes maken en kan het borduren beginnen.

Af en toe roept ze Sigrid. Niet om hulp, ze kan zichzelf best redden. Meer om te laten zien hoe goed het lukt, een beetje aandacht van Sigrid heeft ze nodig.

'Toe, Sigrid, kom even bij me zitten. Dan kun je opletten of het wel goed gaat.'

Sigrid geeft toe.

'Weet je dat mijn vader geen leuke etalages kan maken? Laatst riep hij dat hij jou maar om raad moest vragen. Zou je dat willen, Sigrid? Helpen met het maken van een lente-etalage? Papa komt niet verder dan boeken over bloemen etaleren en er een bos takken in te zetten. Er moet toch meer van te maken zijn?'

Sigrid denkt van wel.

'Vraag maar aan je vader wanneer er een nieuwe etalage moet komen. Ik zal er vast over nadenken.'

En dat doet Sigrid: tijdens het schrijven van uitnodigingen komt het verzoek van het kind telkens bovendrijven.

Op de bodem iets wat groen is. Crêpepapier, een stofje, het materiaal doet er niet toe. Bloemen van papier. Die zijn door haar ervaring in een mum van tijd gemaakt. Op de achterwand zou ze een raam willen schilderen, met in de vensterbank planten en een poes. Ach, er zijn zo veel mogelijkheden. Voor ze het weet maakt ze op haar blocnote een paar schetsjes.

Zo komt het dat de uitnodigingen pas laat op de avond klaarliggen om gepost te worden.

Susan denkt volop met Sigrid mee wat betreft het feestje.

'Het kan regenen, Sigrid, of kil zijn, 's avonds. Weet je wat we doen? We spannen een stuk van dat landbouwplastic tussen de caravan en de schuur die ernaast staat. Dat laten we Arjen met een knecht doen. Het gras moet kort gemaaid en we zetten er stoelen neer. Want als ik je lijstje bekijk, meid, kunnen je gasten nooit allemaal tegelijk naar binnen.'

Dat had Sigrid ook al bedacht.

'Ik hoef dus geen partytent te huren?'

Niet nodig, vindt Susan. 'Ik heb nog slingers en nepbloemen liggen van de opening hier. Daar kunnen we de boel mee opleuken.'

Geleidelijk aan wordt Sigrid nog enthousiaster. Zodoende is de locatie lang voor de geprikte datum klaar.

Als Thijmen op een avond Eveline komt halen, vraagt hij of kinderen ook welkom zijn. 'Ik heb geen oppas voor de kleine meid en ze is nog te jong om alleen te laten. Aangezien ik graag kom, durf ik je die vraag wel te stellen.'

Sigrid kan niet anders dan toestemmen.

'Vraagje, Thijmen: is het waar dat de moeder van Eveline plannen heeft om jullie te bezoeken?'

Thijmens anders zo vriendelijke gezicht wordt hard. 'Waarschijnlijk komt ze omdat ze wat van me wil. Het kan niet om geld gaan, want haar relatie zit er warmpjes bij. Officieel kan ze Eveline niet opeisen. Dat is geregeld. Maar ze is nogal veranderlijk van aard, het kan best zijn dat ze de regels terug wil draaien. Reken maar dat ik vecht voor mijn kind! Ze staat sterker dan voorheen, omdat ze nu hertrouwd is. Dus ze zou Eveline een basis kunnen bieden.'

Sigrid heeft medelijden met hem. Ze weet niet hoe ze hem kan troosten, dus begint ze over wat anders: de etalage. 'Ik heb begrepen dat je geen inspiratie voor een lente-etalage hebt? Moet ik je een idee aan de hand doen?'

Thijmen kijkt haar aan, een warme glimlach fleurt zijn gezicht op.

'Dat durf ik bijna niet aan je te vragen. Want ja, een vrouw met ervaring...'

Sigrid grinnikt. 'Alleen op het gebied van etalage. Als je eisen niet te hoog zijn, wil ik je best een keer helpen. Soms mis ik mijn oude beroep, moet je weten.'

Dat wil hij maar al te graag en een afspraak is snel gemaakt. 'Je bent geweldig, Sigrid!' Hij bloost bij die uitspraak.

Als hij wegrijdt kijkt Sigrid hem peinzend na. Geweldig. Was het maar waar.

Het cadeautje voor Evelines moeder is schattig geworden. Rondom het geborduurde handje heeft het kind zonnetjes, bloemen en hartjes getekend. En uiteindelijk heeft ze met het laatste restje garen dat ze had een lijstje eromheen weten te maken.

Inpakken doet ze thuis, want papa heeft prachtig inpakpapier!

'Dan doe ik er een strik omheen, Sigrid. Ik hoop dat mama mij een keer hier ophaalt, dan kun jij haar leren kennen.'

Een blij kind, met een gefrustreerde vader.

Als Sigrid eraan toe is de etalage een metamorfose te geven, is Thijmen steeds in de buurt, zolang er geen klanten zijn die hem nodig hebben.

Sigrid bekleedt de achterwand, die gedeeltelijk open is, met karton waarop ze een raam schildert, rechts en links ervan afgebrokkelde stenen. Thijmen roept dat ze talent heeft.

Sigrid lacht hem uit. 'Strakke lijnen, dat lukt best. Zoals dit raam. Maar vraag me niet er een pony of een kind naast te zetten. Ik kan lang niet altijd realiseren wat ik voor me zie! Zoals nu. Een kat voor in de vensterbank heb ik ook. Een van de jongens die op de naschoolse graag figuurzaagt, heeft een poes voor me gemaakt uit een voorbeeldboek. Dat is leuk geworden, hij is zwart met een rood bandje.'

Als de poes op de bedoelde plaats zit, loopt Thijmen naar buiten om vandaar de zaak in ogenschouw te nemen.

'Het staat erg leuk, Sigrid. Goed bedacht, zulke kleinigheden doen voorbijgangers de pas inhouden.'

Sigrid is blij als er een groepje klanten binnenkomt. Thijmens aanwezigheid leidt haar af.

Uiteindelijk begint de etalage op de gemaakte schets te lijken, maar echt tevreden is Sigrid niet. Eigenlijk was ze dat zelden en deelde ze het enthousiasme van collega's in het warenhuis niet.

Wat de voorbijgangers betreft krijgt Thijmen diezelfde dag nog gelijk: mensen blijven staan, wijzen elkaar op details voor ze verder lopen.

Thijmen zegt haar te willen inhuren, maar Sigrid lacht hem uit. 'Het was een vriendendienst, Thijmen.'

Waarop hij iets zegt wat haar doet blozen. 'Dat zijn we dus, Sigrid, vrienden?'

Zijn helderblauwe ogen kijken haar zo trouwhartig aan dat ze er verlegen van wordt.

'Dat dacht ik toch wel. Anders was je ook niet op mijn housewarmingparty genodigd, toch?'

En nee, ze wil ook geen vergoeding voor het karwei. 'Goed voor mij om in training te blijven, Thijmen. Anders verleer ik het vak nog en je weet maar nooit wanneer ik ergens de kans krijg om mijn vak weer uit te oefenen.'

Evelines moeder: een probleem op zich.

Eveline heeft haar pony, die nu de naam Bonnie draagt omdat het zo leuk rijmt op pony, geborsteld en gekamd en het scheelde een haartje of ze had het dier een strik omgedaan.

Thijmen heeft Sigrid in het oor gefluisterd dat hij doodsbang is voor de confrontatie. Een moeder blijft immers een moeder? Hij doet aandoenlijk zijn best vader en moeder tegelijk te zijn, maar dat heeft de intelligente dochter door. Ze speelt het spelletje braaf mee.

'Waar logeert je moeder, Eveline?' vraagt Sigrid op de dag voor de beloofde komst.

'Tja... papa heeft gezegd dat ze niet bij ons mag logeren, terwijl we echt twee logeerkamers hebben. Flauw vind ik dat van papa, maar dat heb ik hem niet gezegd, Sigrid. Hij kan zo verdrietig kijken. En dat vind ik heel zielig voor hem. Dus gaat mama naar een hotel.'

Aan het eind van de dag komt een verontwaardigde Eveline met de andere kinderen mee die de naschoolse opvang bezoeken. 'Ik dacht dat mama mij van school zou halen, Sigrid. Niet dus. Ik kon niet anders dan instappen en meerijden. Nu denk ik dat papa en mama met elkaar willen praten, misschien hebben ze elkaar gemist. En komt mama met papa mee om mij om zes uur te halen. Ik heb het cadeautje thuis liggen.'

Eveline kan geen rust vinden, ze doolt door het speelleerlokaal, stelt duizend vragen aan Sigrid en doet niets anders dan op haar roze horloge kijken.

Dan is het zover: klokke zes rijden auto's af en aan met ouders die hun kroost afhalen.

Eveline staat klaar, haar jasje aan, rugzak op één schouder. Opeens slaakt ze een gil. Er komt een cabrio het erf op rijden, een luide claxonstoot.

'Mijn mama in een nieuwe auto!'

Sigrid krijgt niet zoals anders een knuffel, wég is het kind. Ze struikelt nog net niet over haar eigen voeten.

'Is dat de moeder?' informeert collega Denise. Sigrid knikt en kijkt naar de begroeting.

Een beeldje, anders kan ze de ex van Thijmen niet noemen. Perfect kapsel, slank figuurtje en een gebruinde huid. Haar kleding draagt ze als een tweede huid.

Denise zegt op cynische toon: 'Het geld druipt van het mens af. Zou die vrouw wat van plan zijn?'

Karen drukt Eveline tegen zich aan, hurkt zelfs voor haar neer om het gezichtje beter te kunnen bestuderen.

'Lieve help,' zegt Denise tegen Sigrid. 'Ze komt hierheen, ik vrees dat Eveline mams aan je wil voorstellen. Ik ben weg, hoor!'

Sigrid ontkomt er niet aan en als ze eerlijk is moet ze bekennen dat ze ook nieuwsgierig is naar de vrouw die Thijmen ooit na heeft gestaan. Het geurtje dat de moeder meebrengt, is beschaafd en niet overdadig. Dichterbij gekomen ziet Sigrid dat haar gezicht niet rimpelloos is en ergens doet haar dat plezier.

'Sigrid, kijk, mijn mama. Mam, die daar is Sigrid over wie ik geschreven heb.'

'Karen Leblanc. Leuk u te ontmoeten.'

Sigrid kijkt omlaag naar haar spijkerbroek waar ze zojuist haar handen waaraan plaksel zat, heeft afgeveegd. Ook haar shirt is klaar voor de wasmachine. Ze vraagt zich af waarom ze denkt zichzelf met die keurige dame te moeten vergelijken.

Een slap handje.

Karen Leblanc wil graag een rondleiding. 'Ik laat mams alles wel zien, Sigrid.'

Hand in hand lopen moeder en dochter door de vertrekken. Karen laat een spoor van parfum achter.

'Niet voor te stellen dat die vrouw intiem met Thijmen is geweest.' Susan heeft de ontvangst uit de verte gadegeslagen. 'Ik vrees, Sigrid, dat ze een gooi naar de voogdij doet.'

Sigrid reageert verschrikt. 'Dat overleeft Thijmen niet!'

Susan grinnikt en zegt op zoek te gaan naar Arjen. 'Er is iemand die hem wil spreken. In verband met een landelijke tentoonstelling. Ik ben weg!'

Sigrid ordent de open kast waarin teken- en schilderspullen staan. Ze legt het papier op een ordelijke stapel en met een doek veegt ze potloodslijpsel en restjes knipsel op de grond. Straks vegen en het is weer netjes. De lange tafels krijgen een sopbeurt, zoals elke dag.

'Sigrid, mag mijn moeder ook op jouw feestje komen? Ze moet dan wel een dag langer blijven en misschien lukt dat wel.'

Nee zeggen? Geen optie. Sigrid haalt haar schouders op. 'Hoe meer zielen, hoe meer vreugd, zo is het toch?'

'We zullen zien. Nu gaan we eerst naar het hotel, lieveling, daar eten we samen. Zeg de juf maar gedag.'

Toch nog een knuffel, gadegeslagen door Karen Leblanc.

Hand in hand lopen de twee naar de knalrode auto.

'Kassa!' zegt Denise die ongegeneerd voor het raam staat te gluren. 'Bij wie zou het kind willen wonen als ze mocht kiezen?'

Sigrid trekt haar jack aan en zegt het zeker te weten. 'In een huis met vader en moeder samen.'

In de stacaravan pakt Sigrid het lijstje waarop staat wat er nog gebeuren moet voor het feestje. De tent ziet er leuk uit. Eerst was het niet meer dan een stuk groen landbouwplastic dat voor een dak moest doorgaan. Maar met allerhande trucjes is het een leuk geheel geworden. Arjen heeft een paar tonnen opgescharreld, die kunnen dienst-doen als tafeltjes. Tegen de wand van de schuur staat een schragentafel waarop Susan een wit kleed heeft gelegd. 'Oude lakens, die lagen in de kasten toen we hier de boel kochten. Zulke dingen komen altijd van pas.'

Sigrid streept op het lijstje af wat klaar is, veel valt er niet meer te doen. Ze is blij met de hulp van Arjen en Susan. Zo hebben een paar knech-ten een oude koelkast aangesloten onder het mom van: bier moet koud zijn. Tante Ada heeft gebakken. En hoe! Zoutjes, bodems voor hartige hapjes en meer van dat soort lekkernijen. Lars, behulpzaam als altijd, zal voor achtergrondmuziek zorgen. Een van de crècheleidsters heeft van een relatie een paar exotische nepboompjes geleend. 'Ze moeten wel onbeschadigd terug, anders krijg ik hommeles!'

Kritisch starend op haar lijstje ontdekt Sigrid dat er niets meer is wat ze nog kan doen. Wat niet is aangevinkt, kan pas vlak voordat de gasten komen.

Een eigen onderkomen. Wel geen villa in het Limburgse, maar toch. Een door haarzelf georganiseerd feestje. Ze heeft er zin in. Zeker weten dat het een succes wordt!

12

Sigrid mist Eveline pas als alle kinderen van de naschoolse opvang druk aan de gang zijn.

'Was Eveline ook niet op school?' vraagt ze aan een klasgenootje. Diep nadenken. Nee, ze was niet op school. 'Vanmorgen wel. Maar vanmiddag is ze niet geweest. Ik weet niet waarom niet.'

Het zit Sigrid niet lekker. Zou de moeder het kind hebben laten spijbelen? Slecht idee. Enfin, het is haar zorg niet.

Susan komt op Sigrid af. 'Meid, wat doe je hier? Je hebt vast nog van alles te doen voor vanavond. Wegwezen, jij! We redden het wel zonder jou.'

Dat laat Sigrid zich geen twee keer zeggen.

Arjen komt aanlopen, hij duwt een kruiwagen voor zich uit en als hij Sigrid ziet, begint hij overdreven te puffen.

'Drank, mevrouw, bier, wijntjes rood en wit, frisdrank in alle kleuren. Biologisch natuurlijk. Kom op, dan richten we je koelkast in.'

Hoewel het weer meewerkt, is Sigrid toch blij dat het niet regent. Nu kunnen de gasten, mochten ze dat willen, een eindje kuieren over het terrein.

'Plastic glazen, Sigrid. Dat drinkt niet zo fijn, maar handig is het wel.' Lars duikt onverwacht vroeg op. 'Muziekinstallatie controleren, hand-en-spandiensten verrichten. Ik moest thuis wel weg, want jouw tante Ada had telkens een ander karweitje voor me. Blikjes openmaken en pasteitjes vullen, dat soort klussen. Het wordt wat anders, lieve schat, als jij met opdrachten komt.'

Lars duikt op Sigrid af en geeft haar een klinkende zoen op haar mond. 'Nou...' Lars is bepaald geen zoenerig type, weet Sigrid. Ze lacht er maar om. 'Misschien kun jij die oude koelkast iets slimmer inrichten, zodat er nog wat baksels van tante Ada bij kunnen. Dat zou lief van je zijn.'

Lars zegt dat hij 'nog liever' is, want hij is van plan om Sigrid mee te nemen naar een pas geopend pizzarestaurantje, aan de rand van de stad. 'Dan hoef je niet te wachten tot je met eetwaar rondgaat. Bovendien moet je een bodem in je maag hebben, voor het geval je aan het hijsen gaat.'

Sigrid lacht hem uit. Zij en hijsen!

Dankbaar accepteert ze zijn hulp. Eerder dan gepland zijn ze klaar, de gasten kunnen komen. Ware het niet dat ze nog twee uur te gaan hebben.

'Ik ga me vast opknappen, Lars. Haren wassen, dat soort dingen. Dan hoef ik straks niet in de weer om er netjes uit te zien.'

Een halfuur later roept Lars, terwijl hij een bierblikje opheft: 'En dat noem je 'netjes'? Meid, je bent oogverblindend. Een echte seksbom. Wel keurig, decolleté maar niet te diep. Strak jurkje, zelfde verhaal, niet té. En je haar op zolder, leuk, dat moet je vaker doen. Zo mag je met me op stap! Ik zie er naast jou verlopen uit.'

Wat niet het geval is.

Net voor ze vertrekken komt Susan een kijkje nemen. 'O, ik zie het al, broertje neemt je mee uit eten. Enfin, dan kunnen we ons bord voller scheppen nu je niet met ons mee-eet. Sigrid, je ziet eruit als een plaatje.'

Ze wuift hen uit en als Lars opzij kijkt, ziet hij een nieuwe Sigrid. Een stralende jonge vrouw met binnenpretjes.

De avond verloopt zoals gepland.

De bescheiden muziek die Lars heeft uitgezocht, blijft waar het hoort: op de achtergrond.

Sigrid is verrast cadeautjes te krijgen ter ere van haar nieuwe huis. Susan zegt dat de stacaravan niet meer aanvoelt als haar paleis.

Op een rustig moment laat Sigrid haar ogen langs de gasten dwalen: volgens haar is iedere genodigde gekomen. Of toch niet! Ze mist Thijmen, die nog wel had gevraagd of Eveline mee mocht komen. Vreemd. Zou het te maken hebben met het bezoek van zijn ex?

Ze zet Thijmen en zijn eventuele zorgen uit haar hoofd. Meeleven is prima, maar daar moet het bij blijven. Ze kan toch niets voor hem doen.

Als het feestje op zijn eind loopt, duikt Thijmen toch nog op. Zijn anders zo rustige gezicht staat gespannen. Hij groet tijdens het voorbijlopen de gasten die hij kent en als hij Sigrid ziet staan, half verborgen achter een van de geleende bomen-in-een-ton, steekt hij een hand op en dringt tussen een paar pratende vrouwen door. 'Sigrid, mijn excuses voor mijn late komst. Maar daar is een reden voor.'

Sigrid schudt zijn hand. 'Ik begrijp het. Karen? Problemen?'

Hij knikt en accepteert een plastic glas witte wijn van Lars, die zichzelf tot ober heeft bevorderd.

'Ik had niet verwacht dat ze zo'n stampij zou maken. Eveline inpalmen, geen kunst aan als je met gigacadeaus aan komt zetten, het kind chic mee uit eten neemt en kleren voor haar koopt. Dat soort dingen. Gisteren, tussen de middag, nam ze haar mee naar een restaurant en toen ze vlak voor halftwee terugkwamen, zag Eveline lijkbleek. Overvoerd, zeg maar. Misselijk, spugen. Ik heb haar in bed gestopt. En Karen is na enkele scherpe bedreigingen vertrokken naar haar chirurg. Wat blijkt?' Hij nipt van zijn wijn en kijkt bijna verontwaardigd naar het glas dat geen glas is.

'Ze eist het kind op?'

'Ik, hoor je, ik en niemand anders heeft het zorgrecht. Dat heeft de rechter bepaald en wat wil zij nu? Het vonnis nietig laten verklaren. Een dochter hoort bij haar moeder. Nou, dat had ze eerder moeten bedenken!'

Sigrid heeft medelijden met hem, maar vindt het vervelend dat hij dit ongeschikte moment heeft uitgekozen om zijn hart uit te storten. Ze durft hem er niet op aan te spreken.

'Wat ellendig voor je. Maar waarom zou welke rechter dan ook de mening veranderen? Ze is bij jou best op haar plaats. Je hebt een goede relatie met je dochter.'

Tot schrik van Sigrid ziet ze dat er tranen opwellen in de donkerblauwe ogen van Thijmen.

Ze pakt hem bij een hand en trekt hem mee. 'Kom, in de caravan is niemand, iedereen is buiten of bezig te vertrekken. Daar kun je even tot jezelf komen. Dan krijg je wijn van mij in een echt glas.'

Thijmen laat zich gewillig meevoeren en even later duwt Sigrid hem met zachte hand op de bank. 'Heb je ook trek in iets? Er is nog genoeg lekkers over.'

Thijmen snuit zijn neus.

'Ik weet niet meer wanneer ik voor het laatst gegeten heb. En dan twee glazen wijn... als het niet te veel moeite is, zou ik wel iets hartigs lusten.'

Dat laat Sigrid zich geen twee keer zeggen. Ze vindt op de warmhoud-plaat nog twee saucijzenbroodjes, die ze op een bordje schuift. Het vrolijke lachen en de luide stemmen om hen heen hinderen haar, terwijl ze het zonet nog ervoer als een teken van plezier.

'Kijk, Thijmen, hier zul je van opknappen. Ik moet je even alleen laten, er gaan mensen vertrekken en die moet ik gedag zeggen en bedanken.'

Thijmen knikt en hapt gretig van het geurige broodje.

Susan komt op haar aflopen. 'Ik nok af, meid. Eigenlijk was ik van plan te helpen met opruimen, maar helaas... mijn zoon dwingt me te gaan rusten.'

Sigrid omhelst haar en zegt dat ze geen woorden genoeg kan vinden om te bedanken. 'Voor alles, de caravan, je hulp... nou ja, later kom ik er wel op terug. Ga maar gauw naar bed!'

Lars sluit de boxen af en nu de muziek wegvalt, lijkt het feest voorbij. Meer mensen nemen afscheid en niemand vertrekt zonder te benadrukken dat het een geweldige avond is geweest.

Lars trekt tante Ada aan een hand mee. 'Zo, Ada Berkhout, zoen je niet welterusten en dan breng ik je naar huis!'

Sigrid lacht. Het is opeens 'jij' en geen 'u' meer.

'Hij heeft gelijk, tante Ada. U ziet wit om de neus!'

'Ja maar...'

Lars voert haar kordaat weg richting auto.

'Morgen kom ik opruimen!' roept Ada met een schel stemmetje.

'Dat is een goed idee, Sigrid, morgen de boel opruimen. Dan kom ik om je te helpen.'

Dat is de belofte van een van de crècheleidsters en Sigrid accepteert het aanbod met graagte. Ze voelt zelf ook opeens haar voeten, die niet gewend zijn aan schoeisel met hogere hakken.

Arjen sluit de stroom buiten af. Opeens is er niets anders dan het schijnsel van de maan.

'Wat is er met Thijmen aan de hand?' vraagt hij op zachte toon.

Sigrid werpt een blik door het raam naar binnen. 'De ex doet vervelend. Ze wil het zorgrecht over Eveline. Ook als het niet zal lukken is dit voor een vader echt vervelend!'

Arjen knikt. 'Als je hulp nodig hebt...'

Sigrid schudt haar hoofd. 'Ik hoef alleen maar naar hem te luisteren, hij zal zo direct ook wel vertrekken.'

De gasten hebben zich weten te gedragen, het terrein ziet er na hun vertrek verlaten, maar niet slordig uit. Geen rommel op de grond, de glazen en papieren bordjes, het plastic bestek, alles is keurig in de grote prullenbakken gekieperd.

Sigrid aarzelt even. Eigenlijk zou ze het liefst nu aan de slag gaan. Anderzijds voelt ze dat Thijmen een luisterend oor nodig heeft. Dat weegt zwaarder dan het uitstellen van het scheppen van orde.

Ze klimt de caravan in, gevolgd door de poes van Susan.

Thijmen heeft de broodjes op. Hij zit nu gebogen op de bank, de handen voor de ogen. Sigrid voelt een diep medelijden opkomen.

'Thijmen dan toch... Kop op, je staat sterk! Zeker weten. Ik heb nog nooit een vader gezien die zo met zijn kind omgaat als jij. Bedenk wat je voor haar hebt gedaan toen ze zo zwak was en afhankelijk tot en met. Ze is dol op jou.'

Thijmen richt zich wat op, hij legt zijn handen op zijn dijen. 'Mag ik nog een glaasje wijn van je?'

Sigrid aarzelt. 'Je moet nog rijden...'

'Ik ben met de fiets.'

Ze zwicht en schenkt zijn glas nogmaals vol, en ook een voor haarzelf. De hele avond heeft ze frisdrank genomen, gepraat en gepresenteerd. Nu mag ze van zichzelf best een slaapmutsje.

Zwijgend drinken ze. In de caravan brandt slechts een schemerlamp.

Kille nachtlucht zweeft naar binnen. De poes heeft zich een plekje gezocht. Op de bank, vlak naast Thijmen, heeft hij zich opgerold.

Thijmen heft zijn glas op.

'Op jou, Sigrid.'

Sigrid glimlacht en schopt haar schoenen uit.

'De avond is goed verlopen, dankzij de hulp die ik kreeg. Fijn dat je toch nog even kon komen.'

Thijmen knikt.

'Ze heeft een sterk punt, Karen, bedoel ik. Zij en haar chirurg zijn een stel. Getrouwd en wel. Ze kunnen het kind meer bieden dan ik in mijn eentje. Of ik zou haastje-repje een vrouw moeten zoeken.'

Sigrids hart knijpt samen. Als hij maar niet denkt dat zij een kandidate is!

'Binnenkort komt ze weer, samen met de nieuwe man in haar leven. Om haar plannen als het ware voor te weken, en Eveline in te palmen, voor zover dat nog niet is gebeurd. Ik ben voor het eerst in mijn leven echt bang, Sigrid!'

Het zwijgen tussen hen wordt beklemmend en Sigrid wenst dat ze een manier wist om hem naar huis te krijgen.

Dan toch maar buiten gaan opruimen?

'Ik heb bedacht, Sigrid, dat jij me uit de nood zou kunnen helpen.'

'Ik, Thijmen? Je bent echt aan het verkeerde adres. Ik ben niet zo goed van de tongriem gesneden. En tegen een vrouw als Karen kan ik het al helemaal niet opnemen. Wanneer zij ergens binnenkomt, is alle aandacht voor haar. Zeker weten. Nee, je kunt beter alvast een heel goede advocaat zoeken die je in alles wat er op je afkomt, steunt en raad geeft.'

Thijmen balt zijn rechterhand tot een vuist waarmee hij in de palm van zijn linkerhand slaat.

'Ik heb een vrouw nodig, Sigrid, al is het maar voor de show. Voor de momenten dat Karen op het toneel verschijnt. Denk er alsjeblieft over na... Goed, voor mijn part toneelspel. Al moet ik zeggen dat... nou ja, ik mag jou ontzettend graag. Maar het gaat erom dat Karen en haar man denken dat ik, Thijmen, hetzelfde kan bieden als zij. Namelijk een papa én een mama.'

Sigrid voelt zich verstijven. Zoiets heeft nog nooit iemand haar voorgesteld. Moedertje spelen, voor het goede doel.

'Thijmen...' zegt ze op zachte toon, zo redelijk als ze maar kan. 'Thijmen, denk je de situatie eens in. Hoe zou dat in de praktijk moeten? Eveline voor de mal houden? Dat lukt je niet. Ze zal dwars door je houding heen kijken. En door míj heen. Ik wil zulke dingen niet, Thijmen. Toneelspelen ligt me echt niet, het zou een flop worden, en ik zou door de mand vallen. In dat geval ben je nog verder van huis.'

Thijmen kijkt haar recht in de ogen. Vastbesloten.

'Denk erover na, we hebben wat tijd voor ze weer opdaagt. Ze is een sterke vrouw, die Karen. Altijd geweest en haar wil is wet. Als ik Eveline moet missen... dan is mijn leven waardeloos.'

Hij staat zo ruw op dat poes Dropje verschrikt van de bank springt, op zoek naar een veiliger plekje.

Thijmen sjort zijn stropdas rechter. Hij loopt op Sigrid af, buigt zich voorover, zet zijn handen op de leuningen van haar stoel en kijkt haar diep in de ogen.

'Alsjeblieft, Sigrid? Goed, toneelspel. Voor even. Wat mij betreft een kwestie van realiteit. Toch? Ik overrompel je, ik weet het, maar ik zit in tijdnood. Ik zou je zo graag nog beter leren kennen, maar ik heb mezelf beloofd niets te overhaasten. Toe. Laat me niet in de steek... er is niemand anders die ik dit zou durven vragen...'

Sigrid kijkt schuw omhoog. Zeker, ze mag de man erg graag. Maar in de eerste plaats is ze nog niet toe aan een nieuwe relatie. En in de tweede plaats: ze wil niet gedwongen worden. O, er is nog meer! Want Thijmen, hoe sympathiek ook, is niet de enige man in haar nieuwe leven.

Medelijden, dat is een gevaarlijke emotie, weet ze onderhand. Voor je het weet word je in een situatie gemanoeuvreerd die niet je eigen keus is. Nu moet ze flinker zijn, eigenlijk hard en dat is ze niet van aard.

'Thijmen, toe. Maak het niet zo moeilijk! Nee is echt nee. Ik kan die rol niet spelen. Ook niet voor even. Stel je toch voor hoe dat voor Eveline moet zijn. Hoor haar roepen: mijn pappie gaat weer trouwen... O ja, met wie? Nou, op die manier weet zo het hele dorp het! Je zet mij op het verkeerde been naar... naar iedereen toe. Waarom zet je geen advertentie? Kijk op internet.

Hij zoekt haar, zij zoekt hem, dat soort sites. Toe...'

Thijmen kan zich niet beheersen. Hij buigt nog dieper naar haar toe tot zijn mond vlak bij die van Sigrid is. Ze drukt haar hoofd tegen de rugleuning van haar stoel.

Thijmens mond vindt die van haar moeiteloos. Even speelt hij met zijn lippen over de hare, dan kan hij zich niet langer beheersen en wordt zijn kus nog net niet eisend. Ongewild opent Sigrid haar mond. Ze probeert hem van zich af te duwen, maar toch ook weer niet...

Als hij haar loslaat en zich opricht, komt er geen excuus.

'Ik spreek je een dezer dagen wel weer, Sigrid en ik hoop én bid dat jij op mijn verzoek ingaat.'

Geen wonder dat Sigrid de volgende dag rondloopt met een gezicht alsof ze een kater van jewelste heeft. Ze kan nu eenmaal slecht tegen een nacht zonder slaap.

13

Veel tijd om over Thijmen en zijn problemen na te denken heeft Sigrid niet: Lars en Dennis eisen haar volle aandacht op. Er wordt druk gerepeteerd in gemeenschapshuis Het Anker.

Sigrid doet zelfs haar best Eveline te ontwijken, wat niet meevalt.

'Ik heb juist zo veel te vertellen, Sigrid, waarom heb je geen tijd voor mij?'

Sigrid zwicht.

'Ik heb ook zo veel te doen, meisje. Je weet toch dat ik samen met Lars en Dennis een zanggroepje vorm? Binnenkort moeten we hier en daar in het land optreden. Dus we oefenen wat we kunnen, samen met een achtergrondkoortje en een paar muzikanten.'

Eveline knikt heftig. Natuurlijk weet ze daarvan. Ze heeft met Pasen toch zelf in de kerk kunnen horen dat ze mooi zongen.

'Papa zei dat hij al die ouderwetse liedjes zo mee kon zingen, maar dan veel langzamer. Nu moet ik je van mama vertellen. Toe, Sigrid, even maar!'

Sigrid luistert. Ze schuift naast het kind aan tafel en bewondert ondertussen haar tekentalent. 'Mama zei dat haar vader ook goed kon schilderen. Maar die opa leeft al lang niet meer. Die ken ik dus niet. Mama wil graag dat ik bij haar en Willem kom wonen. Dat lijkt me best leuk, ze hebben een groot huis en in de tuin is plaats voor Sonny.'

'Eh... je bedoelt je pony? Heet ze nu opeens Sonny?'

Eveline giechelt zoals alleen kleine meisjes dat kunnen doen.

'Papa zegt dat als je bij een kind telkens de naam wilt veranderen – niet een knuffelnaampje, maar de échte – dat je dat een hoop geld kost. Want dat moet off... officieel, zegt papa. Gelukkig luistert mijn pony naar alle namen die ik haar geef. Maar zo jammer, mama heeft mijn Sonny niet eens gezien. En het cadeautje dat ik heb gemaakt, heeft ze vergeten mee te nemen. We sturen het nu op. Maar... misschien mag ik binnenkort een weekend naar haar toe! Mama zegt: een kind hóórt bij de mama. En dat mama een nieuwe man heeft, vind ik niet zo leuk.

Maar ja... ze zegt dat papa ook wel een keer een andere vrouw neemt.'
'Tjonge, wat heb jij veel te vertellen, kleine. Heeft mama je schetsboeken ook gezien?'
Dat wel. 'En ze zou me een echte schildersezel sturen. Ik dacht eerst dat ze een díer bedoelde. Maar nee, het is een ding op poten waar je een doek op kunt zetten. Geen handdoek of zo, maar een lijst met een schildersdoek erop. Dan kan ik proberen echte schilderijen te maken. En nog wat... mama zegt dat ze graag een baby wil. Ze vroeg of ik dat leuk vond. Nou, reken maar, heb ik gezegd. Ik ben enig kind en dat is niet leuk, hoor.'
Sigrid zegt dat zij ook geen broers en zussen heeft.
Na een halfuurtje is Eveline tevreden en kan Sigrid haar gang gaan. Ze zorgt ervoor dat als het tijd is om de kinderen te halen, zij uit zicht is. Even geen Thijmen met zijn verdrietig gezicht! Als ze aan zijn kus denkt, voelt ze het bloed naar haar hoofd stijgen. Medelijden is nog lang geen liefde, en een slechte basis voor een relatie. Bovendien zijn daar ook nog een Dennis en een Lars. Jonge mannen zonder ballast.

Als ze wegrijden naar hun eerste officiële optreden, is Sigrid bloednerveus. Zowel Dennis als Lars lachen haar uit.
'Meid, we zingen voor een zaal waar nog geen vijfhonderd mensen in passen. Het is geen songfestival! Daar krijg ik de griezels van,' zegt Dennis als hij vertrouwelijk een arm om Sigrids schouders legt. Lars bestuurt de auto en naast hem zit de trompettist die geen eigen vervoer heeft.
'Het songfestival... hoe kom je daarop?'
Dennis trekt een gezicht, grijnst dan breed. 'Ik heb een kennis die het ver in de muziekwereld heeft geschopt en een enorm netwerk heeft. Innemende kerel. Hij stelde me voor dat ik een poging zou doen mee te dingen naar een plaats in de strijd voor het songfestival. Een lied had hij al, goed ritme, prima tekst ook en de melodie zou volgens hem inslaan als een bom. Ik! Ik naar het songfestival! Nooit van z'n levensdagen. Daar ben ik allergisch voor: de massa mensen, half Europa aan

de buis gekluisterd terwijl jij zingt en misschien afgekraakt wordt. Nee, niks voor Dennis Versa. Ik bouw mijn carrière heel degelijk en langzaam op. Bovendien: ik pas niet meer in dat milieu sinds ik gospels zing. Uit overtuiging. Gelovig? Ach, dat mag best, leuk om in een interview te vermelden. Weer eens wat anders dan homo of echtbreker, toch?'

Sigrid vindt de arm om haar heen niet onplezierig. Het maakt dat ze rustiger wordt.

'Songfestival... ik denk dat niet veel zangers daar nee tegen zouden zeggen, Dennis. Als het goed gaat, ben je zelfs in één klap beroemd. Buitenland, leuke reisjes, aandacht!'

Dennis schudt zijn hoofd, een paar krullen uit zijn zorgvuldig gestylede kapsel springen speels over zijn voorhoofd.

'Ik hoef geen buitenlands succes, geen overdreven aandacht ook, Sigrid. Ik sta volledig achter het repertoire dat we nu gaan brengen. Kijk, een keer op tv, prima. Radio ook, we moeten per slot van rekening brood op de plank hebben. Lars en ik zijn het wat betreft de aanpak volledig eens en zolang we op jou kunnen rekenen, kan het alleen maar beter gaan.'

Het optreden in Arnhem wordt een succes. Gevolg is dat er méér uitnodigingen komen. Lars klaagt dat ze binnenkort een manager nodig hebben. 'Kun jij die taak niet op je nemen, Sigrid? De zakelijke kant voor ons beheren?'

Sigrid huivert. Stel dat ze fouten maakt...

'Agenda bijhouden, boekingen maken, dat soort dingen. En natuurlijk de inkomsten beheren. Dat moet toch lukken?'

'Ik zing liever.'

'Wij toch ook? Maar Dennis en ik hebben de handen vol aan het maken van de arrangementen en de technieken te verbeteren. En dan heb ik ook nog het koor, Sigrid.'

Sigrid aarzelt nog. Feit is wel dat ze ondertussen ingezongen is tot en met, net als het achtergrondkoortje. Af en toe brengt Lars een kleine verandering aan, kritisch als hij is. Maar voor de rest loopt dat gedeelte soepel.

'Ik wil het proberen. Maar als het fout gaat, trek ik me spoorslags terug, Lars. Per slot van rekening heb ik ook nog mijn bezigheden op de naschoolse opvang en in de crèche.'

Dennis bemoeit zich er ook mee.

'Wacht maar, meisje, tot we echt doorgebroken zijn in bepaalde kringen. Dan kun je die kinderopvang vergeten.'

Tegen twee mannen die zo vol overtuiging spreken, is Sigrid niet opgewassen.

Tante Ada ziet helemaal geen problemen, als Sigrid haar de laatste nieuwtjes vertelt. 'Maar natuurlijk kun jij dat, kindlief. Jullie zijn een fantastisch trio. Geloof me, ik ben zo trots op jullie!'

Af en toe voelt Sigrid een onderhuidse spanning tussen Lars en Dennis als het om haar, Sigrid, gaat. Soms lijkt het of ze strijden om haar gunsten, en dat soort gedrag van de mannen om haar heen is ze niet gewend.

Dennis oppert om Sigrid voor te stellen aan een vriend van hem die voor meerdere artiesten de zaken regelt. 'Het is dat hij er niets en niemand meer bij kan hebben, Sigrid. Vandaar dat Dennis en ik het met jou willen proberen.'

Willem Beker, een man van de wereld die het klappen van de zweep kent als geen ander. Sigrid hoeft niet zoals hij op jacht naar contracten. 'Het is voldoende als je de administratie keurig bijhoudt. Zorg dat de agenda voor iedereen duidelijk is en... hoed je voor dubbelboekingen.'

Willem is een veertiger, strak in het pak en felle ogen achter een goudomrand brilletje. Zijn ooit pikzwarte haar is grijzend aan de slapen, wat hem een gedistingeerd voorkomen verschaft. Sigrid mag hem meteen en laat zich graag door hem onderwijzen.

Lars is minder tevreden met de nieuwe aanwinst in de kennissenkring: 'Als jij je maar niet door die man laat inpalmen, schatje!'

Tot op heden lukt het Sigrid aardig om Thijmen te ontlopen. Tot op een middag Lars Sigrid inschakelt om even naar Het Kompas te rijden. 'Ik heb muziekpapier bij Thijmen besteld en hij liet weten dat het pakket is gearriveerd. Doe me een plezier en haal het even op, ja? Laat het maar op de rekening zetten.'

Sigrid kan niet anders dan het verzoek honoreren en met de moed der wanhoop rijdt ze de korte afstand naar de boekwinkel. Nou ja, in een volle winkel kan Thijmen onmogelijk persoonlijk worden en misschien krijgt ze hem niet eens te zien, maar kan ze het af met het winkelmeisje.

Jammer voor Sigrid: zodra ze de winkeldeur opent, ziet ze hem. Ernstig in gesprek met een man die ze op de rug al herkent als de dorpspredikant. Hopelijk is het gesprek tussen de mannen zo belangrijk dat ze het niet willen afbreken.

Natuurlijk heeft Thijmen haar meteen gezien. Automatisch kijkt hij wie er binnenstapt, als de winkeldeuren openzoeven.

Sigrid knikt kort en haast zich naar de toonbank waar het winkelmeisje met een klant bezig is. Ze luistert ongewild mee naar wat er gezegd wordt. De klant zeurt eindeloos over welk boek ze zal kiezen. 'De keus is zo moeilijk! Als het voor mezelf was, wist ik het wel. Ik ben dol op boeken die zich in het verleden afspelen. Zo interessant, toch, al die weetjes van honderd jaar terug. Maar ja, dit is voor mijn schoonzuster die ik nog niet zo goed ken.'

'U mag het ruilen, mevrouw. Mits onbeschadigd. Maar dat is logisch, dacht ik. De bon goed bewaren, anders wordt het lastig voor ons.'

Sigrid werpt een schuine blik op Thijmen en de dominee. Ze slaan elkaar op de schouder, hun stemmen worden luider en dan volgt het afscheid.

'Tot ziens, Thijmen. Het zal me een genoegen zijn je te ontvangen.' Een knikje naar Sigrid, het winkelmeisje en de klant.

'Sigrid.' Thijmen staat vlak achter haar, ze voelt zelfs zijn adem in haar hals.

Ze kijkt over haar schouders en dan is het er meteen weer: het intense medelijden met hem. Ze zou hem willen troosten als was hij een kleuter. Maar zeker weten dat hij haar troost anders zal interpreteren dan zij het bedoelt.

In gedachten neemt ze afstand. Het is onmogelijk om het verdriet van een ander op jouw schouders te nemen.

'Dag Thijmen, een pastoraal gesprek gevoerd?'

Thijmen beantwoordt haar vraag niet eens en pakt haar bij een hand. Hij trekt haar mee en voor ze het weet staat ze tegenover hem in het magazijn.

'Ik heb je hulp nodig, Sigrid. Anders raak ik mijn kind kwijt!'

Sigrid schudt haar hoofd en stamelt dat ze is gekomen in opdracht van Lars Schutte. 'Muziekpapier... jullie zouden het bestellen, toch?'

Thijmen hoort niet wat ze zegt. Zijn handen liggen zwaar op haar schouders. Zijn stem daalt tot een gefluister, ze kan hem bijna niet verstaan.

'Karen... ze begint sterker te staan, heeft een paar adviseurs ingeschakeld, lui die van wanten weten, als je begrijpt wat ik bedoel. Ze speelt een vuil spel. Moedertje, terwijl ze nooit een echte moeder voor Eveline is geweest. En toen ik zei dat ik een relatie had – ik doelde op jou – lachte ze me vierkant uit, zo van: wie wil jou nou hebben, armzalig boekhandelaartje. Wat heb jij een vrouw te bieden? Een ziekelijk kind, is dat alles? Karen weet hoe ze een mens kan treffen, kapotmaken. Terwijl ze er zo lief uitziet. Een wolvin in schaapskleren!'

Sigrid zoekt wanhopig naar de juiste woorden. Wat kan ze zeggen, hoe kan ze woorden vinden die hem duidelijk maken dat ze onmogelijk in zijn voorstel mee kan gaan?

Ze zou zich kunnen omdraaien, de winkel uit rennen. Maar dan krijgt Lars niet het muziekpapier waar hij om zit te springen.

'Luister nu eens kalm, Thijmen, wind je niet zo op! Je doet alsof er haast is geboden.'

Hij schudt haar onzacht door elkaar. 'Dat ís er ook! Begrijp dat dan...'

Op dat moment hoort Sigrid naderende voetstappen. Het winkelmeisje? Niet wenselijk dat ze hen beiden ziet staan in deze nogal ongewone houding, die duidt op een zeker soort intimiteit.

'Thijmen...' Ze wil nog meer zeggen, dingen als 'Laat dat!' of 'Ik heb geen boodschap aan jouw zorgen'.

Maar elke vorm van spreken wordt haar verhinderd: hij herhaalt zijn gedrag van de avond op haar feestje. Zijn mond landt op die van haar, op een manier die laat weten: ik weet de weg.

'Zo! Het was dus niet zomaar een uit de lucht gegrepen verzinseltje van mijn ex!' Een schelle lach en Sigrid hoeft zich niet om te draaien om te zien wie de persoon is aan wie de snijdende stem toebehoort.

Thijmens mond laat die van Sigrid met duidelijke tegenzin los.

'Jij... jij zou toch moeten weten, Karen, dat ik niet degene ben die verzinseltjes uit de mouw weet te toveren. Je kent Sigrid toch, meen ik te weten?'

Karen ziet er weer oogverblindend uit en Sigrid denkt: niet eerlijk dat al dat fraais bij één persoon is terechtgekomen. Mensen als Karen, goedgebekt en ook nog eens prachtig om te zien, maken haar onzeker over wie ze zelf is. Daar komt nog bij: ze kan slecht toneelspelen en jokken lukt al helemaal niet.

Thijmen trekt haar stijf tegen zich aan en drukt haar hoofd tegen zijn borst. Sigrid haalt moeizaam adem, ze ruikt zijn schone geur en iets wat op een mannenparfum lijkt. Zijn handen liggen vast op haar rug.

O, wat voelt ze zich ongemakkelijk. Natuurlijk zou ze hem met de punt van haar schoen een trap kunnen geven, maar een man als Thijmen Schreurs geef je geen trap.

Karen dribbelt dichterbij. Nu kan Sigrid haar zware parfum ook ruiken.

'Thijmen...' zegt ze gesmoord. Thijmens lach is hard en onecht.

'Meneer!' Het winkelmeisje komt met een pen in haar hand en in de andere een wapperend papier. 'Of u wilt tekenen... de pakketdienst...' Ze blijft als aan de grond genageld staan.

En Sigrid denkt: toe, meisje, loop meteen maar naar je moeder en sms je vriendinnen in het dorp wat hier gaande is.

Met voelbare tegenzin laat Thijmen Sigrid los. Hij grijpt pen en papier van zijn assistente uit haar vingers en legt de nota brutaal tegen de rug van Sigrid. 'Ondergrondje...' mompelt hij.

Het meisje weet niet hoe snel ze zich uit de voeten moet maken.

Thijmen lijkt zich te herstellen, hij houdt Sigrid nu vast bij een boven-arm.

'Als je nu nog niet overtuigd bent, Karen, weet ik het niet meer. Je kunt ook wachten op de huwelijksaankondiging. Of het moment dat Eveline een broertje of zusje heeft...'

Het klinkt insinuerend, Karen zal ongetwijfeld er het hare van denken: er is een kindje op komst.

'Evengoed blijf ik een moeder die van standpunt is veranderd. Nu ben ik heel goed in staat om voor mijn dochter te zorgen. Mijn leven is sta-biel, ik heb een geweldige man gevonden. Willem steunt mij zoveel hij kan en geloof me: hij heeft veel belangrijke relaties, mensen die mij kunnen helpen de voogdij over mijn dochter terug te krijgen. Jij weet heel goed dat ik vlak na onze scheiding en de ziekte van Eveline heel erg overstuur ben geweest, en last had van een burn-out. Maar daar kan een mens van genezen, weet je? De strijd is nog niet gestreden, beste man. Want je vergeet één ding: Eveline heeft ook een stem. En die telt voor tien, geloof me! Tegenwoordig luistert men naar de wensen van het kind. En in ons geval is dat duidelijk, tegen een biologische moeder kan een stiefmammie niet op. Ik groet jullie, ga maar door met waar je zo druk mee bezig bent. Maar wees eerlijk tegen je nieuwe liefde en vertel haar dat je een lastige man bent.'

Het geluid van wegstervende stappen klinkt als inslaande geweerkogels.

Thijmen krimpt in elkaar, zijn hand om Sigrids arm verslapt.

'Ik kon niet anders. Sorry, meisje. Ik beloof je...'

Sigrid voelt woede in zich opwellen. Zij, die altijd zo beheerst weet te reageren.

'Je hebt niks te beloven. Want er ís niets tussen ons! En dat zal Karen snel genoeg in de gaten hebben. Leugens zijn als dun ijs waar je op pro-beert te schaatsen. Er komt een moment dat je erdoor zakt.'

Thijmen schudt zijn hoofd. 'Ben ik dan zo'n afstotelijke kerel?'

Wéér dat ellendige medelijden. Sigrid buigt haar hoofd, ze wil hem niet aankijken.

'Dat weet... dat weet je best. Je bent voor de juiste vrouw een geweldige man. Zeker weten. Maar die vrouw ben ik niet. Weet je, Thijmen, ik heb op het moment absoluut geen behoefte aan een relatie. Ik voel me als single gelukkiger dan ik ooit als verloofd meisje ben geweest. Vrijheid, blijheid. Daar komt bij dat jouw gejok ons allebei in de problemen zal brengen, om over Eveline maar te zwijgen. Er zijn heus wel manieren om Karen weg te zetten als moeder. Rechters zijn niet dom of gek...'

Al pratend is ze achteruitgelopen, met Thijmen die als een magneet volgt.

Gered door de bel... Het mobieltje van Thijmen begint te rinkelen en Sigrid slaakt een kreet van opluchting. Ze draait zich om en rent naar de deur waarachter de winkel.

Ze hoort Thijmens stem. 'Ja... nee... ja... néé, geen probleem. Zeg, ik heb nu even geen tijd... Wat zeg je? Haast bij. Wel...'

Sigrid trekt de deur achter zich dicht. Zat er maar een sleutel in. Ze haast zich naar de toonbank en passeert een klant die aan de beurt is.

'Neemt u me niet kwalijk, ik zit in tijdnood. Eh... parkeermeter en zo.' Ogenblikkelijk maakt de klant plaats voor haar en hij schimpt op de controleurs die veel te streng zijn. 'Ik zeg jullie: ze staan op de loer. Ze wachten tot een automobilist terugkomt en lachen in hun vuistje. Nee, gaat u maar gerust voor. Alle begrip!'

Ondertussen stamelt Sigrid waar ze voor komt, en als de andere klant is uitgesproken, staat Sigrid met het pakje in haar hand. Tasje? Niet nodig.

'Zet het maar op de rekening van Schutte.'

En weg is ze. Ze hoort, voor de winkeldeur achter haar dichtglijdt, de stem van Thijmen die haar roept. Dan rent ze naar de parkeerplaats.

Karen Leblanc rijdt in haar sportwagen net voorbij, ze doet of ze Sigrid niet ziet.

Tranen biggelen over Sigrids wangen. Wat een situatie. Wat moet ze doen? Negeren, tegenspreken als iemand bepaalde vragen stelt. Het is toch te gek voor woorden: een relatie aangaan om een ex-vrouw op afstand te houden?

Eveline... zoals ze over haar moeder spreekt. Alsof die een engel in mensengedaante is. Maar ja, houdt een jong kind niet altijd de ouders de hand boven het hoofd?

Sigrid rijdt in een slakkengang naar huis. Het liefst zou ze in bed kruipen, dekbed over zich heen. Veilig in het donker.

Arme Thijmen... bah! Dat medelijden! Waarom is ze zo overgevoelig voor andermans problemen? Per slot van rekening zijn er in de stad en zelfs in het dorp waar ze nu woont, genoeg vrije meiden en jonge vrouwen. Thijmen hoeft niet eens het internet op te gaan om te daten.

Ze parkeert de auto in de berm, vlak voor het huis van tante Ada.

Lars staat met een hark in zijn handen met de hulp van tante Ada te praten.

'Hoi, die Sigrid. Dat duurde, zeg. Fijn dat je het hebt gehaald.'

De huishoudelijke hulp loopt met emmer en schoonmaakspullen naar de andere kant van het huis. Het is ramendag, en regen of prachtig weer: op ramendag moeten en krijgen de ramen een beurt.

'Is er wat aan de hand. Sigrid? Je kijkt zo beteuterd.'

Lars legt een hand op haar schouder, ze zou hem willen afschudden. Ze moet niets meer van aanrakingen hebben en zeker niet van mannen.

'Niks aan de hand. Beetje hoofdpijn. Nou ja, dat hebben vrouwen nu eenmaal op bepaalde dagen, zoals je ongetwijfeld van je zusje zult weten.'

Smoesjes, jokken. Ze kan het dus toch. Maar niet in het geval van Thijmen. Medelijden of niet!

14

EVELINE IS DRUK IN GESPREK MET INEKE, DE ZUS VAN ARJEN.
'Wij lijken wel een beetje op elkaar, Eveline. Ik gaf in het verleden mijn honden ook telkens een nieuwe naam, maar slim is dat niet. Uiteindelijk luisteren ze niet meer naar je. Hoe heet je pony nu?'
Eveline is altijd dolgelukkig met aandacht van volwassenen.
'Poppie. Dat klinkt zo knuffelig, vind ik.'
'Houden zo,' vindt Ineke.
Eveline roept haar na: 'En hoe heet je autootje ook alweer?'
Ineke kijkt grijnzend achterom. 'De gouden koets!'
Eveline buigt zich weer over haar tekenwerk. Het valt niet mee om een portret van mama te maken. Ze heeft een foto meegenomen zodat ze de gelijkenis nog beter kan treffen.
'Wat loop jij schichtig rond.' Ineke kan als geen ander de stemming van een ander peilen. Ze houdt Sigrid staande die in de naschoolse opvang aan het redderen is. 'Gaat het wel goed met je?'
Sigrid schudt haar hoofd en ergert zich aan de tranen die spontaan in haar ogen springen. 'Niet echt.' Ze wijst met een hoofdknikje naar Eveline en trekt Ineke mee naar een plekje buiten Evelines gehoorsafstand.
'Ik heb voor haar vader de etalage van Het Kompas een keer ingericht. Ik praat met Thijmen vaak over Eveline en nu denkt hij...'
Ineke knikt begrijpend. 'Hij had destijds ook een oogje op Susan. Dat gaat wel weer over. Die man is eenzaam en zit in zijn uppie met de zorg voor een niet al te sterk kind.'
'Ik ontloop hem zo veel mogelijk. Maar dat gaat hier moeilijk. Het probleem is dat de moeder weer in beeld is.'
Ineke schrikt ervan. 'Nee toch! Dat is een ramp. Die vrouw is onmogelijk. En van het kind moet ze niets hebben.'
'Dat dacht je maar. Ze beweert dat Eveline bij haar beter af is omdat ze is hertrouwd en haar een vaste basis kan geven. Thijmen daarentegen...'
'Thijmen is dus op zoek naar een nieuwe levenspartner, heel begrijpe-

lijk, Sigrid. Maar jouw nee is niets minder dan een afwijzend besluit. Zit je daarmee?'

Sigrid schudt haar hoofd. 'Het is veel en veel erger. Zijn vrouw kwam in het magazijn achter de winkel en wat dacht je? Thijmen begon me te zoenen, en hoe! Daar moest zijn ex wel haar conclusies uit trekken. En reken maar dat het praatje dat wij wat hebben een eigen leven gaat leiden. Wat moet ik doen om dat te voorkomen?'

Ineke schudt haar hoofd. 'Hem ontwijken, alles tegenspreken. Er zit niets anders op. Stel Susan voor dat je omstreeks zes uur hier buiten beeld bent.'

'Hij is zo aardig, die Thijmen. Maar echt, meer dan vriendschap voel ik niet voor hem.'

'Misschien een koekje van eigen deeg? Schakel iemand in, Lars bijvoorbeeld, en vraag of hij tijdelijk je vriendje wil zijn.'

Ze lachen er samen om.

'Dennis is er ook nog. Misschien om beurten?'

Ineke tikt Sigrid vriendschappelijk op een arm. 'Maak er geen probleem van. Misschien lost alles zich vanzelf op en vindt Thijmen hier of daar een leuke vrouw. Hoewel: daarbij kan een kind een belemmering zijn. Het kind van een ander aan wie ook nog eens wordt getrokken... dan moet de liefde wel heel sterk zijn.'

Dat is Sigrid met haar eens.

'Maar ik heb zo'n medelijden met hem.'

Gevaarlijk, vindt Ineke. 'Verwar medelijden nooit met liefde, dan kom je bedrogen uit, meisje. Bovendien is medelijden geen goede basis voor een huwelijk.'

Daar heeft Ineke gelijk in, maar toch blijft een en ander door Sigrids hoofd spoken.

Gelukkig zijn er ook andere dingen die haar aandacht opeisen. In de studio achter het huis van tante Ada wordt flink geoefend voor de ophanden zijnde optredens. Sigrid steekt veel tijd in de bijkomende activiteiten. Ze maakt nieuwe afspraken, houdt de agenda strak in de gaten want o, ze moet er toch niet aan denken een fout te maken.

Dubbel boeken, bijvoorbeeld. En nu is er zelfs een tv-producent die een special van hen wil maken: bandje in opkomst, goede muziek voor een breed publiek. Wel een selecte groep: vooral ouderen vinden hun muziek leuk. Christelijke liederen die bijna vergeten zijn.

Het moet gezegd: Lars heeft een goed oor voor de vernieuwde versies. Zelfs jongeren spreekt het aan, al gaan ze niet zelf naar dit genre op zoek.

Willem Beker is ook nu Sigrids steun en toeverlaat.

'Toe maar, een special. Daar zitten anderen jaren op te wachten en maar vissen! Jullie krijgen het op een presenteerblaadje aangeboden. Zeg maar hoe ik kan helpen.'

Uiteindelijk belooft Willem aanwezig te zijn als het oriënterend gesprek met de programmamakers gepland staat.

'Ik geloof best dat Dennis noch Lars hun hoofd bij de zogeheten 'bij-komstigheden' hebben. Terwijl die juist van levensbelang voor de toe-komst van de band zijn. De solo-optredens van jullie drieën springen er wel uit. Wat je moet leren, Sigrid, is het volgende: weet wat jullie wel en wat jullie niet willen. Laat niet alles door de programmamakers beslissen, houd een vinger aan de pols. Bespreek met jullie drietjes wat de wensen en ideeën zijn, dan moet het mogelijk zijn op één lijn met de mensen van de tv te komen.'

Sigrid is nerveus voor de afspraak, een datum die met rasse schreden nadert. Ze hebben gekozen voor een ontmoeting in Het Anker, het multifunctionele gebouw in het dorp. Daar wordt ook geregeld met de rest van de band geoefend. Sigrid vindt de kantine een prima plekje voor de eerste kennismaking.

Wat ze zich voorgesteld had van de tv-mensen, kan ze achteraf niet zeggen. Wel dat ze anders zouden zijn dan 'gewone' mensen.

Ze moet meteen na de kennismaking haar idee bijstellen: ze heeft te maken met mensen die misschien hun brood op een andere manier verdienen dan de meesten, maar die ook zó door konden gaan voor schoolmeester of winkelchef.

Dennis en Lars laten aanvankelijk Sigrid het woord voeren, pas als het gesprek technisch begint te worden, komen zij in actie.

Terwijl de ene man praat, de vragen stelt en met voorstellen komt, is de ander zwijgend aan het notuleren.

Uiteindelijk vergeet Sigrid, in haar enthousiasme, met wie ze praat. De feiten gaan met haar op de loop.

Willem Beker krijgt steeds meer plezier in de manier waarop Sigrid zichzelf presenteert. Weg is het bescheiden meisje, er zit een gedreven jonge vrouw naast hem die weet waar ze over praat. 'Natuurlijk is dit voor ons allemaal erg nieuw. Een hele ervaring, moet ik zeggen, maar ik heb het gevoel dat een en ander een logisch gevolg is van het eenvoudige succes waar we al snel aan gewend waren. Dit, met tv en een special, dat is het logische gevolg. Zo zie ik het.'

Willem grijnst breed, hij legt even een hand op die van Sigrid. Zijn handdruk zegt iets: ontspan je, Sigrid, naar lijf en leden, maar ook in je hoofd.

De boodschap komt over.

Sigrid kijkt de kleine kring rond en wenkt de vrouw die deze ochtend de bediening op zich heeft genomen. Nogmaals koffie voor het hele gezelschap en graag een koekje erbij. 'Dúmkes, een specialiteit van de bakker in de dichtstbijzijnde stad.'

Lars en Dennis zijn tevreden. Als het hun beurt is om verslag te doen hoe ze zelf in de muziekbranche verzeild zijn geraakt, worden de tv-mensen nog enthousiaster. Het zijn simpele verhalen, die zo over je eigen buurjongen konden gaan. Het begon met zingen en musiceren voor het plezier, als hobby. Daarna steeds meer tegen het professionele aan, tot opeens letterlijk de juiste snaar werd getroffen.

Of Sigrid ooit uit is geweest op een zangcarrière? Nu moet ze schaterlachen. 'Ik heb geen solostem. De heren hier zochten enkele maanden terug een vrouwenstem die alleen diende om hun eigen geluid te onderstrepen. Wel, toen bleek dat ik zuiver zong en bovendien veel volume kon laten horen, besloten ze met mij in zee te gaan. Nee, wat de kwaliteit betreft moeten jullie bij Lars en Dennis zijn.'

Zelfs het contact met tante Ada komt aan het licht en blijkt een aardig gegeven om te verwerken. Lars laat zich ontvallen dat hij er destijds behoorlijk doorheen zat. 'Ik had een burn-out. Juffrouw Berkhout ontfermde zich over mij, met als gevolg dat ik nu een prima studio in haar achtertuin heb.'

Een vervolgafspraak wordt gemaakt. Maar eerst willen de heren toch wel graag de genoemde locatie zien. 'We kijken met de ogen van onze kijkers.'

Dat merken de betrokkenen al snel. Er wordt op details gelet, dingen die voor hen van ondergeschikt belang zijn.

Tante Ada heeft zich zorgvuldig gekleed, zo blijkt. Wat ze zelf noemt: 'Op z'n zondags.' Want je weet maar nooit. En zie, ze krijgt gelijk. Want even voor twaalf uur komen de auto's voorrijden.

Ze gluurt van achter de gordijnen in haar erker naar het groepje dat haar tuinpaadje op wandelt. Het zal toch niet gebeuren, juffrouw Berkhouts huisje op tv...

Sigrid komt haar halen.

Tante Ada ziet meteen aan de rode wangen van haar achternicht dat ze superopgewonden is. 'En?'

Sigrid trekt haar aan een hand mee naar buiten. 'Ze willen de studio zien en aan u vragen hoe u ertoe bent gekomen Lars de kans te geven zich hier te settelen. Nogal ongewoon voor de gemiddelde Nederlander, tante Ada. Kom nou maar mee... en nee, die lui hoeven geen soep. Ze gaan natuurlijk ergens lunchen.'

Nu lopen er twee vrouwen wier wangen wat betreft kleur elkaar beconcurreren, over het smalle paadje van de keuken naar de studio.

'Dus dat is de bewuste dame. Tante Ada, juffrouw Berkhout, hoe wilt u door ons genoemd worden?'

Sigrid roept: 'Tante Ada natuurlijk!' Gelijk met Lars die beslist zegt: 'Juffrouw Berkhout. Een begrip in het dorp. Ex-schooljuf, bekende van elke dorpeling.'

Tante Ada is maar wat blij dat ze haar goeie jurk heeft aangetrokken en er op tijd aan heeft gedacht haar schort in de keuken aan het haakje te hangen.

'Ach, ik ben onbelangrijk,' zegt ze met neergeslagen ogen. 'De jeugd, hè, die moet het doen. Wij ouderen kunnen alleen helpen door plaats voor hen te maken. En wat ik geleerd heb: laat ze hun eigen fouten maken. Want welke jongere luistert er nu naar onze raad, die gestoeld is op ervaringen? Juist, niemand. Jullie hebben vast ook gedacht toen je ouders met adviezen kwamen:

laat me toch mijn eigen gang gaan. Wel, zo is het maar net.'

Tante Ada perst haar lippen op elkaar, wetend dat er niemand luistert als je als oudere langdradig wordt. En als je denkt het beter te weten, draaien ze jou hun rug toe.

De ene man zegt: 'U bent een wijze oudere dame. Maar gelijk hebt u dus wel. En dat u het goed hebt gedaan, bewijst Lars Schutte: dankzij uw hulp heeft hij zich hier geweldig kunnen ontplooien.'

De wangen van juffrouw Berkhout kleuren: twee felle blosjes frissen haar gezicht op. Ze nijgt haar hoofd als bedankje voor het compliment. Daarna trekt ze zich, bescheiden als ze is, terug in haar huis.

Eenmaal binnen in de studio wordt Lars zo enthousiast dat hij bijna niet is te remmen. 'Het een haalde het ander uit, moeten jullie weten. Ik was er een tijd terug slecht aan toe. De muziek die ik met de band maakte, deed me niets meer. Het was plicht geworden en ook de locaties waar we optredens hadden, begonnen me met de dag meer tegen te staan. Je ziet het weleens op tv: gooien met lege bierglazen, lallen en brallen. Meiden die je nog net niet uitkleden. Zo wilde ik niet langer mijn brood verdienen. Ik moest een andere weg inslaan, maar welke? Je staat als het ware op een viersprong en welke weg moet je kiezen? Toen begon mijn christelijke opvoeding een rol te spelen. Oude liedjes kwamen bovendrijven. Ik had er troost aan. Terwijl ik dat altijd verfoeide! Hoor mij nu, ik vertimmer de verzen uit de bundel van Johannes de Heer en Zuster Alt. Aan de inhoud veranderen we weinig, soms een regel als het beter aanspreekt. En we moeten het natuurlijk van de compositie eromheen hebben.'

Dennis kijkt glimlachend naar Lars als deze aan het woord is. Af en toe knipoogt hij naar Sigrid. Die ziet hem staan, leunend tegen een deurpost, de armen gevouwen en de benen gekruist. Ze denkt: je bent best een aantrekkelijke vent. Hij zou het goed doen in een soap.

De mensen van de tv zien het wel zitten: Lars heeft veel te vertellen en weet zijn woorden goed te kiezen. Dennis is wat rustiger, behalve als hij aan het zingen is. Verdiept in zijn eigen gedachten schrikt hij even op als hem wordt gevraagd naar zijn vroegere genre.

'Het is me nogal een ommezwaai die je hebt gemaakt. Eerst popmuziek, en nu dat christelijke genre. Is dat uit overtuiging, of kies je ervoor omdat het een gat in de markt is?'

Dennis glimlacht.

'Dat is vanzelf zo gegroeid. Moet ik dat echt vertellen? Niemand zit toch te wachten op mijn persoonlijk bekeringsverhaal? Dat wordt zo goedkoop als je het onder woorden brengt. Mijn teksten zeggen genoeg.'

Dat wordt gerespecteerd met de onderliggende gedachte: wie weet hoe jij je toch laat gaan als we met de opnames bezig zijn.

Dan komt het moment dat er spijkers met koppen moeten worden geslagen. Sigrid wijst het bezoek op het zitje, waar ze zelf ook vaak plaatsnemen om te beraadslagen. Ze pakt haar agenda en het aantekenboek. Willem gaat naast haar zitten. Ze is er blij om, want wie weet ontgaat haar een belangrijke opmerking die Willem met zijn ervaring wél weet op te pikken.

Er wordt een datum geprikt voor een proefopname. En op dat moment kijkt Tante Ada met een lief glimlachje om de hoek van de deur. Of het bezoek trek heeft in een kopje warme soep en een boterhammetje?

Zeker wel. Papieren aan de kant, een gebloemd kleedje, borden en bestek. Het is allemaal in een mum van tijd geregeld.

Na de lichte lunch valt er niet veel meer te bespreken. Sigrid vraagt voor de zekerheid de afgesproken data nog even na: ze wil op zeker gaan!

Het afscheid is hartelijk als waren ze oude vrienden.

Wanneer de auto met daarop het logo van het programma wegrijdt, wrijft Willem Beker zich in de handen. 'Het was een geweldig gesprek.

Je zult zien dat dit een doorbraak veroorzaakt.'
Dennis en Lars kijken elkaar verheugd aan, maar Sigrid schudt haar hoofd. Voor even is dit alles leuk en aardig, maar ze weet van zichzelf dat ze niet echt getalenteerd is. Straks breiden de jongens hun repertoire uit, dan kan zij hen vast niet bijhouden. Dan is haar rol uitgespeeld. Of ze daar rouwig om zal zijn? Ze denkt nu van niet.

Tante Ada vraagt of ze alle drie komen eten. 'Jij toch ook, Sigrid?' 'Natuurlijk, lieve tante Ada. We moeten toch napraten? Ik vind het zo leuk voor Lars en Dennis.'

Meteen na het eten stapt Willem op. 'Ik heb een overvolle agenda, mensen. Maar het was me een genoegen om bij deze voorbereidingen te mogen zijn. We spreken elkaar nog.'

Zodra Willem is vertrokken, zegt juffrouw Berkhout dat ze duidelijk heeft gezien dat Willem Beker maar wat graag werk van Sigrid zou willen maken.

Sigrid lacht haar uit. 'Mooi niet!'

Dennis en Lars kijken eerst verschrikt naar tante Ada, dan naar elkaar. 'Ze is van ons en dat blijft ze!' Lars zegt het vol overtuiging.

Wat Sigrid doet reageren met: 'Ik ben van niemand anders dan van mezelf. O zo!'

Dat, denkt ze, moet duidelijk zijn. Voorlopig is ze echt van niemand anders dan van zichzelf!

15

HET KAN NIET UITBLIJVEN: HET PRAATJE DAT THIJMEN DE BOEKHANDELAAR 'iets' heeft met de nicht van juffrouw Berkhout, doet al snel de ronde. Het meisje uit de winkel zegt het zeker te weten.

Iedereen heeft er meteen ook een mening over. Goed voor het kind om weer een moeder te krijgen. En die twee passen toch leuk bij elkaar? Want de eigen moeder is wat je noemt een madam. Een huppeldepup die net een modepopje is. Geen echte moeder.

Zo komt de roddel Sigrid ter ore. Ze was er al bang voor. Wat ze nu nog voor Thijmen voelt, lijkt aardig op woede. Het liefst zou ze hem erop aanspreken. Maar nog liever komt ze hem helemaal niet onder ogen. Het is al moeilijk genoeg om hem te ontwijken als hij Eveline komt halen.

Gelukkig begrijpen Susan en Ineke hoe men aan de roddel is gekomen. 'Dat gaat zo in een dorp,' stelt Ineke vast. 'In het begin hadden Arjen en ik er ook de nodige moeite mee. Maar ja, toen stortte Arjen zich in het dorpsleven, hij ging af en toe naar het café, hield open dagen. Dat hielp allemaal. Gelukkig heb ik nu Ron met al zijn psychologische wijsheden er gratis bij.'

Toch hindert de dorpspraat Sigrid meer dan ze wil toegeven. Maar tegenspreken helpt zo'n kletspraatje nou eenmaal niet de wereld uit.

Wie het ook meer dan normaal steekt, zijn Lars en Dennis. Dennis zegt wel raad te weten. 'Sigrid, we gaan zondagochtend samen naar de kerk. Gearmd lopen we het gebouw in, alsof we oefenen voor de grote dag. Dan praten ze wel anders.'

Maar dit neemt Lars niet. 'Ik heb de oudste rechten, vriend. Jij bent hier de nieuwkomer, toch?'

Dat is Dennis niet met hem eens en als Sigrid het vriendelijk gekibbel beu is, zegt ze dat ze het liefst met aan elke arm een man de kerk zou willen binnenstappen.

'Hoho, dan heb je zó een smet op je naam. Dan word je uitgemaakt voor...' Protesterend geroep doet Dennis zwijgen.

Uiteindelijk denkt Susan de meest wijze te zijn als ze de discussie afremt door te zeggen: 'Tot op heden zijn alle dorpsroddels die niet op waarheden zijn gestoeld, geen lang leven beschoren geweest. Sigrid, voor je het weet zijn de praatjes door nieuwere vervangen.'
En dat is wat Sigrid van harte hoopt.

Helaas blijft Thijmen de vermoedens ondersteunen door wetend te glimlachen als hem rechtstreeks wordt gevraagd wat nu waar is en wat niet. 'Is er wat gaande tussen jou en dat nichtje van juffrouw Berkhout?' Hij geeft dan geen antwoord, alleen dat scheve glimlachje om zijn goedgevormde mond die nog kussen kan ook, zo weet Sigrid inmiddels.
Tot haar geruststelling komt Thijmen niet terug op zijn afgewezen verzoek. Hij heeft de handen vol aan Eveline, die niets anders wil dan dat papa en mama bij elkaar terugkomen. Maar ja, het vervelende is dat mama die nieuwe man heeft. Hoe kun je nu van twee mannen houden? Ze stelt die vraag aan Sigrid, die even niet weet te antwoorden. 'Tja, daar heb ik niet zo veel ervaring mee. Met mannen, bedoel ik. Sommige mensen trouwen, zeggen dan in de kerk ja tegen elkaar en eigenlijk ook tegen God. Hij wil niet dat mensen gaan scheiden. Maar ja, als ze steeds ruzie hebben en elkaar ongelukkig maken...'
Dat vindt Eveline maar moeilijk te bevatten. Ze zit op het hek waarachter haar pony tevreden tussen soortgenoten loopt te grazen. Sigrid leunt tegen het hek aan, ze snuift de plattelandsgeuren op. Hooi, dat ruikt ze. Een van de weilanden is gemaaid, het gras wordt later voor de koeien gegooid, weet ze.
'Maar vindt God het dan niet vervelend als mensen scheiden? Ik bedoel: als je iets belooft, moet je het toch ook doen? Of komt er dan een kerkdienst waar de vader en de moeder tegen God zeggen dat ze zich hebben vergist?'
Grote blauwe ogen, die zo op die van haar vader lijken. 'Dat is een idee!' Sigrid lacht erom. Neenee, ze lacht Eveline echt niet uit. 'Maar ik denk dat niemand dat zou doen. Ze gaan liever naar de rechter die de schei-

ding uitspreekt en zegt bij wie de kinderen mogen wonen. Dat is bij jouw ouders ook zo gegaan.'

Eveline springt van het hek en stampvoet op de grond. 'Raar! Want ik wil én bij mama én bij papa wonen. Echt wonen, niet logeren of zo. Misschien krijgt mama weer een baby. Dat zou toch leuk zijn? En papa zegt...' Ze gluurt onder haar wimpers naar Sigrid: hoe zal ze op haar woorden reageren? 'Papa zegt dat hij waarschijnlijk ook weer een keer gaat trouwen. In huis is het bij ons nog best kaal. Er hangen nog niet zo veel schilderijen en op de trap ligt geen vloerbedekking. Hij zegt: er moest iets overblijven voor als ik nog eens een lieve vrouw vind die jouw moeder wil zijn. Zij mag dan helpen met inrichten.'

Sigrid verschiet van kleur, wat het kind niet ontgaat. Zou Thijmen haar naam genoemd hebben in dat verband?

Gelukkig, op dat moment komen de kinderen van de naschoolse aangerend. Huiswerk klaar, caps in de hand. Tijd voor ponyles!

Ineke stapt bedaard achter hen aan. Ze commandeert de kinderen. Ze hebben allemaal een favoriet tussen de pony's.

'Doe je mee, Sigrid?'

'Bedankt. Ik ben liever toeschouwer.'

Ineke gespt het bandje van haar cap zorgvuldig vast. 'Ik heb een tip voor je van Ron.' Ron Schutte, de broer van Lars en Susan, geliefde van Ineke.

'Ron heeft een studie gemaakt van eenoudergezinnen. Hoe ze met hun kind omgaan, wat er verbeterd kan worden. Het was een opdracht die in druk verschijnt. Je moet maar eens met hem praten, want hij heeft Eveline ook onder de loep genomen. Hij kan je best veel – in vertrouwen, dat wel – over de relatie van Thijmen en zijn ex vertellen. Je raad geven. Maar dat zou het beroepsgeheim schenden.'

Sigrid zegt het te begrijpen.

Thijmen ontwijken lukt aardig. Het ontgaat hem echter niet. Het gevolg is dat Sigrid onverwacht bezoek krijgt in de stacaravan. Ze schrikt zichtbaar.

Thijmen trekt een gezicht. 'Ben ik zo weerzinwekkend? Mag ik even binnenkomen als ik beloof dat ik je niet zal lastigvallen? Niet zoenen en zo.'

Sigrid doet een stap achteruit, wat hij opvat als 'kom maar binnen'.

Even later zitten ze tegenover elkaar in de knusse kamer.

'Gezellig heb je het hier, Sigrid. Weer heel anders dan Susan het destijds had.'

Sigrid flapt eruit: 'Je had haar toch ook al op het oog als stiefmoeder voor Eveline?'

Thijmen kleurt. 'Ik kan niet ontkennen dat ik me tot Susan aangetrokken voelde. En ja, het zou geweldig zijn geweest om weer een moeder voor mijn meisje te vinden. Sigrid, ik moet je bekennen dat ik de gelukkigste man op aarde zou zijn als jij het met mij aandurfde. Heb je erover nagedacht? Maak ik geen enkele kans? Niet om Karen te over-bluffen, dat is een bijkomstigheid. Ik mag je ontzettend graag, dat kan je niet ontgaan zijn. Maar ja, liefde moet wel van twee kanten komen.'

Sigrid draait ongemakkelijk heen en weer op haar stoel.

'Thijmen, ik ben nog lang niet toe aan een nieuwe relatie. Ik stond op het punt van trouwen, een dik halfjaar terug. Het huis was er al, alleen de trouwjapon moest nog gekocht worden. Echt, ik heb het met man-nen voorlopig gehad. Ik ben in mijn eentje gelukkiger dan ik ooit ver-wacht zou hebben.'

Eenzaam is ze zeker niet, met Dennis en Lars in de buurt.

'Je zou het goed bij me hebben, meisje. Is Eveline het breekpunt?'

Sigrid balt haar vuisten. 'Hoe kun je zo'n opmerking maken? Als iemand van jou houdt, is het logisch dat die persoon ook je dochter accepteert. Bovendien is Eveline geen gewoon kind. Het is een heel pienter en erg aardig meisje, van wie je wel moet houden. En nog even dit: denk alsjeblieft niet dat ik vanwege Karen een toneelstukje ga opvoeren. Er wordt in het dorp, waarschijnlijk ook in de buurt van je winkel, gekletst en dat heb ik aan jou te danken.'

Sigrid staart naar haar handen. Woede is slecht voor een mens. Ze opent haar handen en legt ze op haar schoot. Ontspannen moet ze.

Er valt een pijnlijke stilte.

'Wil je nu gaan, Thijmen? Het is op alle fronten nee. Zoek maar een ander slachtoffer.'

Thijmen schudt zijn hoofd. Slachtoffer... zo denkt ze dus over zijn gevoelens. Hij staat op.

'Dat was het dan. Sigrid, als ik je beledigd heb, bied ik je hierbij mijn welgemeende excuses aan. Ik zal je niet meer lastigvallen. Maar mocht jij je ooit bedenken, vergeet dan niet dat mijn deur en ook die van mijn hart voor jou blijven openstaan.'

Dan is hij weg, zonder groet. De deur sluit hij geruisloos achter zich. Sigrid kijkt hem na.

Hij stapt in zijn wagen, keert en rijdt naar de weg waar hij een dot gas van jewelste geeft.

'Ik kan er niets aan doen, echt niet.' Sigrid zegt het hardop. Moet ze zich nu schuldig voelen?

Ze leest zichzelf ernstig de les en besluit dan om Thijmen en zijn problemen van zich af te zetten, hoe moeilijk het ook is.

De televisieopnamen die binnenkort gemaakt zullen worden, eisen de volle aandacht van Sigrid op. Ze bestudeert het draaiboek, geeft waar nodig tips en plaatst er de eigen mening tussen. Ze vindt het geweldig dat ze op die manier mag meedenken en ingeschakeld wordt.

Haar dagen zijn nu van vroeg tot laat ingevuld, dat is weleens anders geweest. Een paar ochtenden draait ze mee in de crèche en bijna dagelijks in de naschoolse opvang. Het begint routine te worden.

Zo nadert de dag waarop gefilmd zal worden. Sigrid kan aan niets anders denken. Als ze op een avond nogal laat thuiskomt, ziet ze dat er op het parkeererf auto's staan. Ze herkent die van de verloskundige en op een andere wagen ontdekt ze op de voorruit een esculaapteken.

Twee keer twee is nog altijd vier... Susan. De baby! Het schiet door Sigrids hoofd: te vroeg! Het is te vroeg, maar dat hoeft nog niet te betekenen dat er wat fout is.

Ze rent naar de voordeur, die ze zelden nodig heeft gehad om binnen te komen. Het woongedeelte is prima via de opvang te bereiken.

De deur vliegt open voor ze aangebeld heeft, Arjen roept dat hij haar zag aankomen.

'Ze heeft het zo zwaar, zo ontzettend zwaar, Sigrid! Het kind... natuurlijk wil ik dat het gezond geboren wordt, maar Susan... Ging het maar zoals bij de koeien en schapen. Dit is onmenselijk en de vroedvrouw...'

Arjen snikt een keer en Sigrid kan niet anders dan haar armen om zijn forse lijf heen slaan.

'Die heeft de dokter laten komen en waarschijnlijk moet ze direct al naar het ziekenhuis, ook al is de ontsluiting nog lang niet volledig. O... mijn liefste!'

Even later wordt Arjen geroepen, de huisarts roffelt de trap af.

Sigrid slaat haar handen voor haar oren als ze een kreet van boven hoort: Susan.

'Het gaat niet langer zo, het is niet aan te zien en ik heb de ambulance al gebeld, kerel. Houd je nog even haaks. Doe het voor Susan! Met het kind gaat het nog goed, maar het moet niet te lang meer duren, want dan begint de ellende pas goed. De gynaecoloog is al gewaarschuwd, rijd jij maar achter ons aan.'

Sigrid zegt: 'Arjen, ik rijd jou wel. Je bent niet in staat om zelf te rijden.'

Dan gaat wat gebeuren moet, heel snel. De ambulance is er voor ze het goed en wel beseffen. Susan krijgt een injectie om de pijn wat draaglijker te maken.

'Neem dan onze wagen, Sigrid. Die is sneller dan dat kleintje van jou. Hier, de sleutels.'

De huisarts en de vroedvrouw rijden met de ambulance mee. Sigrid doet haar best om bij hen in de buurt te blijven.

'We moeten mijn schoonouders bellen, zo gauw mogelijk. Ook Ineke is gek op Susans moeder, ze is een mama voor ons. Ineke was meteen nadat het tussen ons aan was, gék op Marjan. En ook op pa... Derk Schutte. Geweldige mensen, Sigrid. Zeker voor ons die jong wees zijn geworden.'

Sigrid laat hem praten. Zo kent ze Arjen niet, hij ratelt maar door. Ze weet: hier is geen troost voor, geen woorden zijn te vinden die zijn last zouden kunnen verlichten. De angst is te groot.

'De vroedvrouw is een geweldig mens, echt waar. Maar toch moest de huisarts erbij komen. Je vraagt je dan af: was het van tevoren niet te voelen, te zien of wat dan ook, dat dit geen normale bevalling zou worden? O, mijn meisje...'

Sigrid hoort hem snotteren en als ze haar aandacht niet bij de weg moest houden, zou ze mee huilen.

'Sneller, Sigrid... ze zijn door het rode licht gegaan, dat kunnen wij niet doen. Vlot optrekken, alsjeblieft!'

Als ze bij het streekziekenhuis arriveren, is de ambulance met zijn kostbare last al naar binnen.

Omdat het al tegen middernacht is, blijkt de normale ingang gesloten. Sigrid voelt dat ze meer alert is op wat er gebeurt dan ooit tevoren.

'Daar, Arjen, door die deur kunnen we naar binnen en daar zeggen ze wel...'

Er loopt een broeder op hen af. Sigrid legt uit waar ze voor komen. De broeder zegt: 'Ik wijs de weg wel. Kom op, de lift, die is snel als een speer. Is het uw eerste kind?'

Hij houdt een verhaal over 'eerste kinderen' die het pad banen voor de volgende.

Arjen kijkt hem vuil aan. 'Niks geen volgende kinderen. Dacht je dat ik mijn vrouw dit nog eens aan wilde doen?'

De broeder glimlacht vergevingsgezind, wat Sigrid doet denken: het personeel, ongeacht in welke positie, zou alle pijn en verdriet die patiënten moeten ondergaan, lijfelijk eerst zelf eens moeten ondervinden.

'Dat slaat nergens op!' zegt ze hardop tegen zichzelf.

'Daar is de kraamafdeling. Blijft u even hier, dan informeer ik hoe de toestand is. Kalm blijven!'

Een deur die open en weer dicht zoeft.

In plaats van de broeder komt de huisarts naar buiten.

'Ze is hier in de juiste handen, Arjen. De baby wordt met een vacuümpomp gehaald. We zijn er gelukkig nog op tijd bij. Voor een keizersnede was de bevalling al te vergevorderd. Wil je hier wachten tot de baby er is, of wil je nu naar Susan toe? Ik moet je wel waarschuwen, zo'n vacuümbevalling is niet zo'n prettig gezicht.'

'Ik wacht wel hier, bij Sigrid,' zegt Arjen, die grauw van de spanning ziet.

'Natuurlijk. U bent een goede kennis, neem ik aan?'

Als Sigrid zegt een nichtje van juffrouw Berkhout te zijn, grijnst de dokter. 'Mijn favoriete patiënte. Ik zou zeggen, neem de aanstaande vader mee naar de automaten en geef hem een kop koffie.'

Gearmd strompelen ze de stille gang door en bij de automaten gekomen duwt Sigrid Arjen op de eerste de beste stoel.

'We lijken wel stokoude besjes, Arjen. Zelfs het lopen lukt bijna niet. Is dit een vorm van meelijden?'

De hete koffie doet wonderen, er komt weer kleur op het gezicht van Arjen en hij kijkt Sigrid dankbaar aan.

'Hoelang denk jij dat zo'n vacuümbevalling duurt?'

De vroedvrouw komt hen gezelschap houden, zij tapt ook een kopje koffie. 'Ik moet ervandoor, er komen nog twee baby's aan, en allemaal te vroeg! Wat een nacht, zeg. Sterkte en moed houden, we waren goed op tijd. We bellen nog.'

Arjen neemt niet de moeite om te reageren. Hij hangt uitgeput op een stoel, knijpt het plastic bekertje tot een vormloos ding.

Het aftellen is begonnen.

Saamhorig zwijgen, het voelt aan als communicatie.

Uiteindelijk zegt Arjen zuchtend dat hij altijd al slecht in wachten is geweest. Sigrid is het met hem eens.

'Waar dan ook, de wachtkamer van de tandarts, de dokter, wachten is ronduit vervelend. Je kunt niets doen. Nou ja, door een bejaard tijdschrift bladeren.'

Arjen knikt. 'Of luisteren naar wat anderen zeggen. Dat kan heel boeiend zijn, maar ik ben blij dat we hier alleen zitten.'

Dan, eindelijk, komt iemand met een fladderende witte jas op hen af.

Een brede glimlach om de mond.

'Gefeliciteerd, meneer! Uw zoon is kerngezond. Als u even wacht mag u uw vrouw complimenteren en uw zoon zien.'

Arjen wil al langs de persoon die het goede nieuws brengt, heen rennen. Hij wordt tegengehouden.

'Gebruik het wachten maar om mensen te bellen.'

Bellen, wie kun je midden in de nacht storen?

'Mijn schoonouders nog maar niet, ik bel hen tegen achten en zeker weten dat ze dan onmiddellijk in de auto stappen. Het is voorbij, Sigrid. Het is voorbij!'

Arjen grijpt Sigrid stevig beet en zoent haar dat het klapt, om vervolgens een rondedans te maken.

'Houd op!' kreunt Sigrid als ze zich loswerkt. 'Je bent papa! Hoe voelt het, en is er al een naam?'

Arjen knikt heftig. 'We denken aan de naam van mijn vader. Jan. Maar Susan wil ook die van haar vader erbij. Dus als ze niet van gedachten verandert, wordt het Derk-Jan. Een Hollandse...'

'Komt u maar mee, meneer,' wordt er geroepen.

Arjen grijpt Sigrids hand en samen reppen ze zich door de gang. De deur zwaait open en daar ligt ze, Susan. Bevrijd van haar last. Ze is bleek en duidelijk uitgeput. Met een krakend stemmetje zegt ze: 'Arjen, je bent papa!' En dan komen de tranen.

Sigrid doet een paar stappen achteruit, ze hoort hier niet bij, vindt ze. Susan kijkt langs Arjen heen. 'Sigrid, niet weggaan voor ik je bedankt heb, hoor!'

De huisarts staat op het punt te vertrekken. 'Fijn dat u gebleven bent,' zegt Susan dankbaar. 'U bent duidelijk nog een arts van de oude stempel.'

Handen worden gedrukt en dan is het tijd om de baby te bewonderen. Een forse baby, ruim negen pond.

Arjen schaamt zich niet voor zijn tranen. De spanning is te groot geweest.

Het is duidelijk dat Susan rust nodig heeft.

'Als er niets tussen komt en als alles goed blijft gaan met moeder en kind mogen ze morgen naar huis.'

Naar huis.

Als ze wegrijden zegt Sigrid: 'Ik ben zo blij voor jullie, Arjen. Een zoon. Denk je dat Susan nog problemen krijgt met haar babyvrees?'

Arjen zwijgt even en zegt dan: 'Tja, je weet het, van die crèchebaby. Toen Susan dat kind stil en bleek in de wieg zag liggen... ja, toen is er wel iets gebeurd. Ze heeft naderhand van alle kanten hulp gehad om daar overheen te komen. Maar ik ben bang dat na die afschuwelijke bevalling de angst weer de kop opsteekt. Hormonen en zo. We hebben dan ook geen kosten gespaard om de beste babyfoon te bemachtigen. Maar zo te zien is onze zoon een stevig kereltje en dat scheelt vast ook!'

Er is niet veel van de nacht over als Sigrid in bed kruipt. Het mag dan ook een wonder zijn dat ze 's ochtends op de normale tijd wakker wordt.

16

DE GEBOORTE VAN DERK-JAN WORDT OP DE CRÈCHE UITBUNDIG GEVIERD. Een bezorger van de bloemenzaak uit het dorp moppert dat de mensen hun bestelling vroeger op de dag moeten plaatsen, nu rijdt hij al voor de vierde keer naar de bioboerderij.

De ouders van Susan, Marjan en Derk, arriveren al voor tien uur. Bloemen, cadeautjes, blijde gezichten. Marjan klaagt dat ze erbij had willen zijn. 'Om te steunen, toch?'

Arjen geeft zijn personeel opdrachten, hij probeert zich zo veel mogelijk vrij te maken. Allereerst moet hij Susan en zoon halen.

Marjan wil per se mee. Er is geen houden aan.

'Ik ben oma geworden! En jij, pa, opa. Niet te geloven. Nu kan ik met mijn vriendinnen mee kwebbelen over het bijzondere kleinkind.'

De thuiskomst is een ware happening. Het had zo anders kunnen aflopen! Gelukkig heeft de baby niets overgehouden aan de manier waarop hij ter wereld is gekomen. De zwelling op zijn hoofdje, ontstaan door de vacuümpomp, zal snel wegtrekken, had de arts gezegd.

Duidelijk is wel dat Susan erg verzwakt is. Ze heeft veel bloed verloren en om het minste of geringste komen de tranen.

'Kraamvrouwentranen,' zegt haar moeder met overtuiging.

Aan het eind van de ochtend rijdt Sigrid naar de studio, waar ze uitgebreid verslag doet van de afgelopen nacht. Bij tante Ada stromen de tranen over de wangen. 'Dat arme meisje. Gelukkig dat het goed is afgelopen. Ik heb vanmiddag dienst in de crèche, denk je dat ik dan even bij de baby kan gaan kijken?'

'Vast wel. U wel, tante Ada. Ik heb begrepen dat Arjen het meeste bezoek afhoudt. Susan is uitgeput en kan niet veel hebben. Toch praat ze al over een tweede kindje... Dan moet je Arjen horen! Die wil er niets van weten.'

Het is omschakelen: van het babygebeuren naar de tv-plannen.

Lars wil per se dat het koortje waarvan hij dirigent is, ook bij de opnamen betrokken wordt. 'Want af en toe schakelen we hen in bij bepaalde stukken.'

Volgens Willem Beker wordt het filmen en knippen. 'Het meeste wordt vernietigd, mensen.'

Aan het eind van de middag wordt Sigrid door vermoeidheid overvallen.

'Jij moet eten, je ziet zo wit als een doek,' stelt Willem vast, die op het punt staat te vertrekken. 'Ik nodig je uit voor een etentje. In de stad is een nieuwe tent geopend en volgens zeggen moet het een heel goede zijn.'

Dennis en Lars zien haar met lede ogen vertrekken, hand in hand met Willem. 'Zo is hij nu eenmaal. Mensen uit zijn kringen zíjn handtastelijk. Ze zoenen erop los, knuffelen elkaar alsof ze dikke vrienden zijn, dat soort dingen. Stelt niets voor!'

Dennis zegt het zeker te weten. Maar het staat Lars niet aan.

'Willem Beker is geen vent voor haar. Te werelds. Als het tv-gedoe voorbij is, is Willem meteen uit beeld. Hoop ik.'

Het etentje is niet alleen lekker, maar ook ontspannend. Willem zegt tevreden dat hij de kleur op Sigrids wangen ziet terugkomen.

Natuurlijk komt het gesprek op de aanstaande tv-uitzending. Willem raadt Sigrid aan naar een bepaald tv-programma te kijken dat wel wat weg heeft van hun eigen plannen.

'Het is voor jullie spannend, maar de regisseur gaat het erom een goed programma te maken. Vergeet dat niet. Het zou voor jullie weleens een doorbraak kunnen worden!'

En dat wordt het.

Op de laatste filmdag is het prachtig weer. De meeste opnamen worden weliswaar binnen gemaakt, maar toch zijn er leuke flitsen uit de omgeving. Sigrid die naar de stacaravan loopt, het uitzicht een weide met schapen en hun lammeren. Dennis en Lars terwijl ze via het tuintje van tante Ada naar de studio lopen. De groep aan het oefenen. Het zangkoortje als achtergrondzangers. En ja, juffrouw Berkhout moet er ook aan geloven. Ze moet vertellen hoe het zo is gekomen dat Lars de vervallen schuur tot studio mocht verbouwen.

Het 'serieuze werk' wordt gefilmd tijdens het optreden in Zwolle. Instrumenten die in auto's en een busje worden geladen. 'Een busje, met opdruk... hoe komen we daar opeens aan?' verbaast Sigrid zich.

Daar kan Lars kort over zijn: 'Cadeautje van juffrouw Berkhout. Jouw tante! Ja, zo is ze wel. Ze ziet dat er wat nodig is en húpsakee, ze komt met een oplossing. Niet dat ze schatrijk is, maar, beweert ze, rechtstreekse erfgenamen zijn er ook niet.'

Sigrid vraagt maar niet verder. Tante Ada is een schat van een vrouw, en Sigrid heeft al lang gemerkt dat Lars méér dan familie voor haar is.

De filmmakers weten precies wat ze willen: een flits van de kleedkamers, een paar bezoekers worden vragen gesteld. Dennis is al een bekende, maar zijn hedendaagse muziek is voor veel fans nieuw. Hoe is hij ertoe gekomen van repertoire te veranderen? Een of andere bekering via een foldertje of straatevangelisatie?

Het ruwhouten kruis noemen ze een 'topper'. Een binnenkomertje.

De benadering staat Dennis, noch Lars, noch Sigrid echt aan. Maar ja, de mensen van de tv werken dan ook niet voor een christelijke omroep. Het gaat hun om het fenomeen dat die 'ouwe deuntjes' opeens in het hart van de belangstelling staan.

Het groepje krijgt de mensen uit de zaal zonder moeite mee. Er wordt zelfs meegezongen en na afloop loopt de cd-verkoop als een trein.

De filmmakers vallen van de ene verbazing in de andere. In God geloven hoeft dus niet belerend en saai te zijn!

Het een haalt het ander uit. Opeens is een andere omroep ook geïnteresseerd, en komen er verzoeken voor interviews. Sigrid voelt dat het gebeuren haar boven het hoofd groeit.

'Jongens, ik bén geen zangeres met een gedegen opleiding. Het was leuk, erg leuk zelfs, maar zien jullie dan niet dat ik Juffrouw Onzeker in hoogsteigen persoon ben? Wat ik denk is dit: jullie moeten op zoek naar een stem die bij jullie past. Iemand met ervaring, liefde voor dit soort muziek en die ook nog eens kan bogen op een goede opleiding.'

Lars en Dennis weten dat Sigrid gelijk heeft, maar geen van tweeën wil haar kwijt. Dus sukkelen ze door, tot het hoogzomer is en ook nog eens vakantietijd.

Van haar ouders krijgt Sigrid te horen dat Jeroen is getrouwd en na twee maanden alweer op het punt van scheiden staat.

Het is schrikken als hij haar via e-mail benadert. Of ze eens zullen afspreken?

Liever niet.

Als Lars het verzoek ter ore komt roept hij: 'Je zegt die knul maar dat je een ander hebt. Mij, bijvoorbeeld! We zouden er samen wel wat van weten te maken, Sigrid. We denken over veel dingen hetzelfde, om maar wat te noemen.'

Sigrid lacht hem uit en beweert dat hij en Dennis meer als broertjes voelen. Wat bij de twee jongemannen slecht valt.

'Jij bent zeker gevleid door Willem Beker.'

Sigrid moet toegeven dat dit de waarheid benadert. Willem is in haar ogen een heer, terwijl de andere twee in de categorie jongens vallen. Het is leuk om door Willem het hof gemaakt te worden. Hij weet haar te verrassen. De ene keer brengt hij een bos bloemen mee als hij in de stacaravan op bezoek komt. Een andere keer een fles wijn of een boek van haar lievelingsschrijver.

Ondertussen heeft hij Sigrid zo veel kennis bijgebracht dat ze de groep op alle gebied prima weet te begeleiden. En toch, toch hoopt ze op een wonder: dat de jongens tegen de juiste zangeres aanlopen. Helaas doen ze er niet echt hun best voor.

De baby van Susan en Arjen groeit als de spreekwoordelijke kool. Alleen wil het met de kersverse moeder niet zo goed lukken. Susan heeft haar oude angsten opgediept, is overbezorgd, staat doodsangsten uit als Derk-Jan verhoging heeft of ondanks de goede verzorging blijft huilen. Nee, geen roze wolk voor Susan.

De baby moet van haar op de ouderslaapkamer vertoeven, ook al heeft hij een beeldig ingericht kinderkamertje.

Arjen stelt voor een therapeut in te schakelen. Zo kan het toch niet doorgaan? Susan verwaarloost zichzelf, ze komt niet aan het huishouden toe en laat zich op de crèche zelden zien. De medewerksters hebben geleidelijk aan haar taken overgenomen.

De schoolvakanties naderen, maar noch de crèche, noch de naschoolse opvang wordt voor langere tijd gesloten. Er is te veel vraag naar opvang. Sigrid is dankbaar voor de zomerstop van de band: er zijn de komende twee maanden zo goed als geen optredens. Dennis en Lars, en ook de mensen van het koortje en de musici, genieten van het crossen door het land, op weg naar soms twee uitvoeringen op één avond. Maar Sigrid voelt dat het haar te veel begint te worden. De uitvoeringen vragen lichamelijk veel, je moet je immers helemaal geven. En ze is nu eenmaal geen type dat er de kantjes van af loopt.

Geleidelijk aan ontdekt ze dat haar hart het meest bij de naschoolse opvang ligt.

'Dan stop je er toch mee, Sigrid?' Dat is het advies van Willem. 'Er is genoeg zangtalent in ons landje. Kwestie van zoeken. Volgens mij zit het anders in elkaar: Dennis en Lars willen je niet kwijt. Heb je dan nog niet in de gaten dat ze wedijveren om jouw aandacht en liefde? Ben ik dan de man die daar een stokje voor moet steken?'

Dat is schrikken: Willem is geweldig gezelschap, Sigrid voelt zich meer dan ooit vrouw bij hem. Ja, schrikken, want Willem geeft te kennen niet tevreden meer te zijn met een kusje.

'Meisje, we leven in een andere tijd dan je ouders. Wíj bekijken alles anders, wat je ook zou benoemen. Waarom proberen we niet of het serieus is tussen ons? Je weet ondertussen dat ik een geweldig appartement bezit. Compleet, alleen een vrouw als jij ontbreekt. Ik zou je kunnen leren mij lief te hebben zoals je nog nooit hebt ervaren. Een nieuwe wereld zal voor je opengaan. Je ouders? Die wennen er wel aan, geloof me. Het wordt hoog tijd dat jij je eigen leventje gaat leiden, zelf keuzes maakt. Mooi en goed dat je achter de teksten van jullie muziek staat. 'Ga niet alleen door 't leven.' Nou, dat valt ook anders dan geestelijk in te vullen. Ik sta klaar om je ten huwelijk te vragen. Na een proeftijd zul je niet anders willen.'

Ja, dat is voor Sigrid toch schrikken. Nerveus roept ze dat ze echt nog niet klaar is voor een nieuwe relatie.

'Dat ben je wel. Je houdt alleen je mooie ogen dicht. Doe ze open, zie wat ik je bieden kan! Jij hebt jezelf nog steeds niet gevonden. Hoelang blijf je in het gekozen ritme voortsukkelen?'

Sigrid vind het nogal wat om Willem af te wijzen. Ze geniet van zijn aandacht, de cadeautjes, de uitstapjes. Maar wat hij nu voorstelt, doet haar hart in de borstkas galopperen. Samenwonen met Willem, deel uitmaken van zijn vriendenkring waarin ze zich niet thuis voelt, zoals wanneer ze met Willem alleen is.

Zich verschuilen lukt niet meer. 'Ik ben er nog niet aan toe' geldt niet meer. Ze is van Jeroen los, ondanks de aanmoedigende mailtjes. Nee, nu is het tijd om uit de kast te komen met wat ze écht in het leven wil. En dat is toch geen man als Willem, die heel andere principes over het huwelijk heeft. Bij hem is het: zolang het goed gaat. Voor Sigrid is 'ja' voor God en de wet bindend.

Willem is teleurgesteld over haar reactie. Wat is er in haar ogen mis met hem?

Nee, de vriendschap is niet in één klap voorbij. Wel komt die op een lager pitje te staan, en eigenlijk is Sigrid daar toch wel blij om.

Arjen vindt een therapeute voor zijn vrouw. Annelies Bussink. Na afloop van een thema-avond over het eten van biologisch geteeld voedsel, wordt hij door een psycholoog die sinds kort een praktijk in de stad heeft, staande gehouden.

Het klikt tussen de mannen. Annie en Flip Bussink, beiden psycholoog, zijn al geruime tijd bezig met de invloed van voedsel waar te veel chemicaliën aan te pas komen. Flip is onderzoeker, vandaar dat hij Arjen na afloop aanklampt en hem complimenteert over de duidelijke wijze waarop hij zijn publiek wist te overtuigen.

Als het gesprek persoonlijker wordt, vertelt Arjen over de problemen die zijn vrouw heeft wat betreft de verzorging – zeg maar beveiliging – van baby's.

Daar kan Annie Bussink in meevoelen. 'Dat heb ik ook gehad na de geboorte van onze Annelies. Tot mijn man mij ertoe wist te brengen dat wat ik gestudeerd had, op mijzelf toe te passen. Na veel moeite lukte dat best. Nu is Annelies gediplomeerd psychotherapeute. Ze wist niet wat ze moest kiezen: een carrière in de muziek of het vak van haar ouders. Het is het laatste geworden.'

Al snel komt de familie Bussink bij de bioboerderij op bezoek. Ze zijn een en al belangstelling voor hoe het er daar toegaat. De ontwikkelingen, zo vertelt Arjen, zijn bijna niet te volgen. De mensen roepen meer en meer om biologisch geteelde groente en fruit, willen vlees van dieren die 'geleefd' hebben en op een dierwaardige manier aan hun einde komen.

Annelies is ongeveer van de leeftijd van Susan. Ze is wég van de baby en vraagt Susan de oren van het hoofd. Vanzelf komen de moeilijkheden waar Susan mee tobt aan bod en de spontane Annelies zegt het zeker te weten: zij is de persoon die Susan van haar trauma kan afhelpen!

Susan is een en al ongeloof. Feiten zijn feiten, ze heeft toch zelf mee gemaakt hoe het kan gebeuren dat een vrouw haar baby, volkomen gezond, bijna verliest!

Jawel, daar kan Annelies geen speld tussen krijgen. Om feiten kun je niet heen.

'Maar wat je wel kunt, Susan, is jouw manier van beleven herzien. Niet blijven hangen in wat je toen voelde en hebt ervaren. Je kijkt ongelovig, maar ik weet als therapeute dat het mogelijk is omdat ik vrouwen heb geholpen van hun trauma verlost te worden. Je bent echt niet de enige jonge moeder van wie de roze wolk al snel zwarter dan zwart wordt.'

Susan wil maar dolgraag van haar angst om de baby te verliezen áf.

'We gaan kijken of alles in orde is. Je babyfoon, het beddengoed van je kindje, dat soort dingen. En dan, Susan, gaan we aan de slag. Kun je naar de praktijk komen of wil je liever dat ik je thuis bezoek?'

Dat laatste is net wat voor Susan, die het liefst dicht bij haar kindje in de buurt is.

Zo komt het dat ook Sigrid op een ochtend Annelies Bussink tegen het lijf loopt. Een leuke meid, met een slordige bos haar die schreeuwt om vaardige kappershanden. Een mond die gemaakt lijkt om te lachen en de donkere ogen doen daaraan mee.

Sigrid stelt vast dat als er iemand is die Susan kan verlossen van haar extreme vrees, het deze Annelies moet zijn!

Al heel snel wordt Annelies gezien als een vriendin des huizes. De gesprekken worden vertrouwelijker, zoals dat gaat wanneer het tussen mensen klikt.

Annelies laat weten dat ze heel lang heeft gedacht de muziek in te willen gaan. Ze speelt verdienstelijk piano en vanaf dat ze klein was, zong ze graag.

Als Sigrid dit van Susan te horen krijgt, gaat er een belletje in haar hoofd rinkelen. Meer dan één, het lijkt wel een carillon.

Solo, zingt Annelies solo? Of heeft ze net als zijzelf meer een stem die geschikt is voor duetten of een kwartet?

'Waarom wil jij dat weten?' schatert Annelies, als ze na een sessie met Susan nog even in de naschoolse opvang een kijkje komt nemen.

'Omdat ik zelf in een bandje zing. Ooit gehoord van Dennis Verplanken? Dennis Versa is zijn artiestennaam.'

'Maar natuurlijk. Alleen hoor ik hem bijna nooit meer op de radio, ze spelen zijn muziek tegenwoordig zelden. Terwijl hij een geweldige stem heeft. Ik was echt fan van hem!'

Sigrid legt uit wat daar de reden van is.

'Hij zingt tegenwoordig gospels. En oude christelijke liederen die vroeger bij een grote groep mensen populair waren. Hij en een vriend bouwen ze om: vlotte begeleiding, ander ritme en soms moet daarom de tekst wat aangepast.'

Dat had Annelies nog niet meegekregen. Ze vindt het jammer van het talent van Dennis. 'Want voor dat soort muziek is vast niet zo veel belangstelling als voor de hedendaagse pop.'

'De grootte van de groep fans is misschien niet zo als die van zijn vroegere muziek. Maar het is wel een vaste clan, anders kan ik het niet uitdrukken. Het zit zo: ik zing met Dennis en Lars Schutte, een erg muzikale duizendpoot, in hun bandje. We treden op. Overal en nergens. Er is een special gemaakt, en die is door een niet-christelijke omroep uitgezonden. Mijn stem is ongeschoold, maar wel zuiver en vast. Solo is niets voor mij. Maar ik vind dat het zo mooi is geweest. De mannen doen helaas niet hun best een vervangster voor me te vinden. Kijk, als jouw stem nu eens zou passen bij die van hen...'

Annelies lacht haar gulle lach. 'Maar dan wil ik het even over hun liederen hebben. Is het allemaal van die hallelujamuziek? Dat is niets voor mij. Niet dat ik ongelovig ben. Maar dat het geloof voor mij leeft, kan ik niet zeggen. Ik ben er nooit zo mee bezig geweest, nog tijd genoeg, denk ik dan maar. Tja, ik ben nogal optimistisch ingesteld en ik reken erop dat ik honderd jaar mag worden.'

Hier heeft Sigrid even geen antwoord op. Alsof ze Jeroen hoort spreken.

Aarzelend reageert ze: 'Je moet natuurlijk wel achter de teksten staan. Als we ergens optreden, wordt er altijd geroepen om *Op die heuvel daarginds*. Misschien ken je het wel. *Het ruwhouten kruis*.'

Annelies rimpelt haar anders gladde voorhoofd. 'Een paaslied? Ooit wel van gehoord. Mijn oma zong dat soort verzen tijdens het huishoudelijke werk en vooral bij het koken.'

Sigrids aanvankelijk enthousiasme slinkt.

'Nou ja, ik dacht zomaar dat het misschien wel iets voor je is. Ik zou je aan de jongens kunnen voorstellen. Lars is de broer van Susan, moet je weten.'

Dat kan geen kwaad, vindt Annelies optimistisch. 'Ik zou ze kunnen voorstellen het repertoire uit te breiden met bijvoorbeeld *Droomland*, en andere jarenvijftigteksten.'

Een ontmoeting met Lars en Dennis hoeft niet gemaakt te worden, want vrij onverwacht krijgt de band een verzoek om op te treden op een grote camping in de buurt waar voor de gasten een feest wordt gegeven in plaats van de gewone zondagse kerkdienst.

Annelies zegt graag te willen komen luisteren.

Sigrid heeft haar vrienden ingelicht: er komt een vrouw luisteren die misschien haar zou kunnen opvolgen.

Annelies en haar ouders zijn verrast door het feest dat de campingleiders hebben georganiseerd. Ze waarderen het dat wat gebracht wordt niet specifiek voor mensen van de kerken wordt georganiseerd. 'Het is niet zo zwart-wit, zo van: verboden voor buitenstaanders.'

Als dit Sigrid ter ore komt, heeft ze spijt van haar bemoeienis. Het is duidelijk dat Annelies van huis uit niet past in de groep van Dennis en Lars.

Maar: Annelies is enthousiast Dennis persoonlijk te kunnen ontmoeten.

'Je zou bij ons in de studio langs moeten komen voor een auditie. Dan kunnen we horen of jouw stem bij die van ons past.'

Sigrid bemoeit zich ermee. 'Ook al moet ze teksten zingen die haar niets zeggen?'

Lars zegt heel naïef: 'Ik heb nog niet veel mensen gesproken die onze teksten nietszeggend vinden.'

Het blijkt dat Annelies best geïnteresseerd is in het bandje. Zingen is naast haar werk haar lust en haar leven.

Na een test is zowel Lars als Dennis verrukt van de stem van Annelies. Die klinkt zoals ze zelf is, dat wat ze uitstraalt: hier ben ik, het leven. Léven is mijn hobby!

'Maar helaas hebben we geen vacature,' zegt Lars beslist. Dennis aarzelt even, knikt dan instemmend. Want ze zijn echt niet van plan Sigrid haar congé te geven!

17

Noodgedwongen maakt de band een zomerstop. Iedereen wil op vakantie.

Sigrid heeft geen plannen in die richting, maar besluit een week of twee naar haar ouders te gaan. Vreemd om 'uit' te gaan naar een plek die tot voor kort je thuis was!

'Wonen jouw vader en moeder nog wel in hetzelfde huis, Sigrid? De mijne niet. Mama wil dat ik meega op vakantie, naar een strand in Turkije. En nu hebben papa en mama ruzie. Want papa vindt het niet goed! En hij zegt dat híj de baas over mij is, dat heeft de rechter gezegd.'

Dan volgt een discussie over het beroep rechter. En nee, Eveline wil later geen rechter worden. Wat dan wel? Ze zou het niet weten. 'Geen moeder, zoals mijn mama. Want als je een kindje hebt, kunnen ze jou dat afpakken.'

Er is nog steeds een heftige strijd gaande tussen Thijmen en zijn ex. Op afstand leeft Sigrid echt met hen mee, zolang ze er maar niets mee te maken heeft. Toch gebeurt dat wel: vlak voor ze denkt op vakantie te gaan.

Thijmen krijgt een auto-ongeluk, dat slecht voor zijn wagen afloopt maar voor hemzelf ook: hij heeft een gebroken been en een hersenschudding.

Eveline is ervan in de war. Nee, ze kan niet naar mama, die is al op vakantie.

'We moeten wat doen,' vindt Susan.

'Wat dan? In de boekwinkel gaan staan?' Sigrid vindt dat iedereen zijn eigen problemen moet aanpakken. Hulp om weer op de rails terug te komen is tot daaraan toe. Maar Thijmen moet niet denken dat alle vrienden en bekenden professionele hulpverleners zijn.

'Ze kan wel een weekje bij ons,' aarzelt Susan. 'Ik bedoel natuurlijk Eveline. De crèche sluit een week voor de grote schoonmaak en zoals je weet is de naschoolse opvang wat langer dicht. Maar ja, het is te hopen dat Thijmen hier of daar familie heeft die zich genoodzaakt voelt voor Eveline te zorgen.'

Sigrid voelt zich verplicht om op ziekenbezoek te gaan. Ze koopt een bos zomerbloemen en een doos chocolade.

Thijmen en Eveline bewonen in het dorp een alleraardigste bungalow aan de rand van de nieuwbouwwijk. Aan de voorkant een rustige straat, achter uitzicht op weilanden en het silhouet van de stad waar Thijmen zijn winkel heeft.

Op haar bellen krijgt Sigrid geen gehoor en net als ze besluit het op te geven, hoort ze binnen een geluid.

Leven in de brouwerij, denkt ze en ze probeert het geluid thuis te brengen. Volgens zeggen is Thijmen aan bed en stoel gekluisterd. Misschien is Eveline thuis. Waar zou ze anders om zeven uur in de avond moeten zijn?

Dan klinkt een stem, die van Thijmen. Opeens denkt Sigrid terug aan zijn manier van kussen.

'Hallo, ik kan de deur niet openen, loop maar achterom,' hoort ze hem roepen.

Over een tegelpaadje dat in een grappig patroon is gelegd, stapt Sigrid het leven van Thijmen Schreurs binnen. Ze vindt hem in een rolstoel, achter op het terras. Hij heft zijn handen op, vormt er een soort toeter van en zegt na de begroeting dat hij gelukkig over een goed ontwikkeld stemgeluid beschikt.

'Maar ik kan beter een briefje op de voordeur prikken met het verzoek om achterom te lopen. Het is namelijk lastig om met de rolstoel tot aan de voordeur te komen. De hal is breed genoeg, maar de deur naar het portaaltje maakt het lastig om door de opening te manoeuvreren. Ach, het is toch allemaal tijdelijk, waar maak ik me druk om? Welkom, Sigrid.'

Sigrid voelt zich slecht op haar gemak. In ieder geval is de aan de rolstoel gekluisterde Thijmen niet in staat haar met een zoenpartij te overvallen.

Ze legt de bloemen op tafel, de chocoladedoos met inhoud ernaast.

'Hoe gaat het? Nou ja, niet te best, zie ik.'
'Ga zitten. Eveline is nog bij de buren. Schatten van mensen, maar helaas gaan ze net als de helft van de Nederlanders op vakantie. Het kind verbeeldt zich dat ze de zorg voor mij op zich moet nemen. Eerlijk gezegd is dat voor mij nog een zorg erbij. Ze wil nota bene koken, terwijl ze amper weet hoe een gaspit aan te steken. Aangebrande aardappels zijn best te eten, daar niet van. Maar ik wíl niet dat ze dit soort dingen doet. Ik heb een beste hulp voor in huis. Maar die vrouw verdraagt geen kinderen om zich heen. Ze vindt het ook een belasting dat ik thuis ben... Nou ja, zoals ik al zei: dit alles is tijdelijk. Ik ben op zoek naar een adres waar Eveline veilig kan logeren tot ik wat mobieler ben. Tot ik loopgips heb, bijvoorbeeld. En een nieuwe wagen. Niet dat ze me in de weg zit... Of eigenlijk wel. Een alternatief is haar moeder. Het is dat Karen en haar man op vakantie zijn, anders had ze de situatie al lang uitgebuit. Ze blijft maar proberen de zorg voor Eveline in haar pakket te krijgen. Ach, wat zit ik toch te kletsen als een oud wijf. Als jij koffie wilt, Sigrid, moet je het zelf zetten. Ik had een volle kan, gezet door mijn hulp, maar die is ondertussen leeg. In de koelkast is ook frisdrank. Je zegt het maar.'
Sigrid was gaan zitten, maar veert nu weer op. 'Je zult zelf ook wel koffie willen, toch? Lastig om er zo aan toe te zijn. Je zou een paar weekjes naar een verzorgingstehuis moeten. Je laten bedienen.'
Thijmen schudt zijn hoofd. 'Gat in de markt. Daarvoor ben ik er niet slecht genoeg aan toe. Bovendien: ik heb de zorg voor een kind.'
Sigrid draait zich weg van hem om de ongelukkige uitdrukking in zijn helblauwe ogen niet te hoeven zien. 'Ik vind de keuken wel. De kan neem ik mee, dan kun je de hele avond koffiedrinken.'
Wat een waardeloze opmerking.
De keuken is snel gevonden. Geordend, schoner dan schoon en ongezellig omdat het er klinisch uitziet. Nergens leuke dingen aan de wand, geen plantje in de vensterbank. Geen sporen van wat 'een vrouwenhand' wordt genoemd.
Het koffieapparaat is duidelijk een van de nieuwste exemplaren en het

duurt even voor Sigrid ontdekt dat de koffie er vanboven als boon in moet om even later omgezet te worden in het geplande bakje troost. Ze schrikt van het ratelend geluid dat de machine maakt na het indrukken van een onschuldig uitziend knopje.

Kopjes, in de kast. Allemaal dezelfde.

Ze schikt de benodigdheden op een dienblad en vraagt zich af of er koekjes zijn. Jawel. Een rij trommels in een ander kastje. Waar *suiker* op een trommel gedrukt staat, blijkt ook suiker in te zitten, net zo met meel, paneermeel en koekjes. Simpele biscuitjes.

Ze gluurt door een raam naar het terras waar Thijmen zich zit te verbijten. Niet, zoals anders, strak in het pak of gehuld in smaakvolle vrijetijdskleding. Hij draagt nu een joggingbroek waar de pijp om het gewonde been is losgeknipt. Geen poloshirt, maar een T-shirt zonder kraag. Zo kent ze hem niet.

Kennen, denkt ze echt hem te kennen? De meneer uit de boekwinkel of de vader van Eveline?

Het koffieapparaat is zo vriendelijk luid en duidelijk te piepen als teken dat de koffie klaar is voor gebruik. Sigrid mompelt dat haar vriendin Ineke hem meteen een naam gegeven zou hebben.

Via de hal en de ruime woonkamer loopt ze het terras op.

'Mooi huis heb je laten zetten, Thijmen. En kijk, de koffie. Suiker, melk? Je hebt van die mensen die van iedereen met wie ze ooit koffie hebben gedronken, precies weten hoe hij of zij de koffie drinkt. Ik ben niet zo'n type.'

Ze zet een kopje naast Thijmen neer, binnen handbereik. En nee, hij wil geen suiker of melk.

Sigrid informeert naar de winkel. Kan het winkelmeisje het alleen aan?

'Had je willen inspringen?' zegt Thijmen op schampere toon. 'Niet nodig. Ik heb hulp van een collega die een schare volwassen kinderen heeft. Een van de dochters bewoont nu het appartementje boven de winkel en dankzij haar hoef ik me geen zorgen te maken straks een chaos te vinden als ik weer op de been ben. Had ik ook voor Eveline maar zo gemakkelijk hulp!'

Sigrid zegt het niet te begrijpen. 'Jij hebt nu toch de handen vrij? Om spelletjes met haar te doen, samen te tekenen of weet ik wat nog meer. Ik zou zeggen: grijp die kans en maak jullie relatie zo dat Karen er nooit meer tussen kan komen.'

Thijmen kijkt bezeerd. 'Je begrijpt het nog steeds niet. Juist als Karen terug is van vakantie, heeft ze nu meer dan ooit een reden om Eveline van me af te pakken. Misschien moet dat dan maar, dan kan het kind zelf ervaren dat haar moeder niet een vrouw uit een sprookje is. Ik wilde dat ik een vakantie voor haar kon boeken. Er zijn genoeg mogelijkheden: vakantiekampen, ponykampen, sportkampen, vul zelf maar in. Maar we zijn te laat, die vakanties zijn niet alleen volgeboekt, de meeste zijn ook al van start gegaan. Ach, waarom zou ik denken dat jij begrip hebt voor mijn situatie?'

Sigrid drinkt langzaam van haar koffie. Prima bakkie, niets mis mee, stelt ze vast.

Begrijpen? Wat moet ze begrijpen? Ze zegt het ook: 'Wat moet ik begrijpen, Thijmen? Ik begrijp wat ik zie. Een overbezorgde vader die alles en alles voor zijn kind wil plannen en er oog op wil houden. Thijmen, ze is geen kleuter meer en haar gezondheid gaat volgens mij met sprongen vooruit. Ze ziet er prima uit, ik merk zelden meer dat ze overdreven vermoeid is. Ze heeft alleen beperkingen die jij haar oplegt.'

Thijmen wordt rood van boosheid.

'Jij, jij bent geen moeder. Je weet niet wat het is om de verantwoordelijkheid over een kind als Eveline te hebben. Ze is mijn alles. Voor haar is het beste nog niet goed genoeg. Ik haat het om beperkt te zijn, haar zo veel vrijheid te geven als nooit tevoren. Ik wil weten waar ze is, met wie ze omgaat. Ze moet beschermd worden, Sigrid. Maar kennelijk begrijp jij dat niet.'

Sigrid verslikt zich in het laatste slokje koffie.

'O nee? Nou ja, daar wil ik niet met jou over in discussie. Ik bedoel: over dingen als opvoeding. Wat ik wel weet is dit: als je haar zo blijft beschermen, wordt ze een ongelukkig en onzeker mens. Ze heeft vrijheid nodig, na al die jaren van voorzichtig zijn. Waarom praat je niet eens met een deskundige over jouw manier van aanpak? Susan heeft wel adressen voor je. Zij en Arjen hebben kennisgemaakt met een psychologenechtpaar. Ze wonen vlak bij Het Kompas in de buurt. Ze heten Annie en Flip Bussink, hun dochter is ook afgestudeerd en zij helpt Susan met bepaalde problemen. Ik heb hen leren kennen, aardige mensen en ik geloof dat ze bekwaam zijn.'

Thijmen kijkt verlangend naar de thermoskan die te ver uit zijn buurt staat om te hanteren. Sigrid voelt weer dat aparte medelijden opkomen dat ze voor Thijmen heeft. Ze springt overeind en schenkt zonder te vragen zijn kopje nog eens vol.

Thijmen schudt zijn hoofd. 'Ik hoef geen zielenknijpers. Voorlopig heb ik aan mijn been genoeg. Als ik maar weer mobiel ben...'

Een koekje, nog zo'n onbereikbare wens.

Sigrid legt twee kaakjes naast zijn kopje.

'Misschien is het wel heel goed voor je om pas op de plaats te maken, Thijmen. Je hebt nu meer dan ooit gelegenheid om alles wat je dwarszit op een rij te krijgen. Je houding tegenover je opgroeiende dochter, Karen, van wie je nog niet echt los bent... Dat kost tijd. Ik heb het toch zelf ervaren! Via mijn moeder hoor ik af en toe wat over Jeroen, de man met wie ik zou trouwen. Wel, dat kan nog behoorlijk mijn gedachten beïnvloeden, ook al weet ik nu dat we niet bij elkaar passen. Hij heeft deel uitgemaakt van een stukje van mijn leven, dat is met jou en Karen net zo. Bovendien hebben jullie samen een kind.'

Ze ziet dat Thijmen zijn ogen over de tuin laat dwalen. De op kleur en grootte gepote planten in de border. Hier en daar moeten verwelkte bloemen verwijderd worden, ze denkt zeker te weten dat hij dit met zijn ogen al lang heeft gedaan.

Het gazon is gemaaid, de houten afrastering zit prima in de beits. Over het grasveld hippen merels, ze stampen net zo lang op een plekje tot er wormen omhoogkomen. Voer voor hun jongen.

Eigenlijk vergaat het Thijmen net zo. Zorg voor Eveline. En bij hem gaat het niet om voedsel, maar om de diepere dingen in het leven. 'Ik begrijp je toch wel, Thijmen.' Van het ene moment op het andere is ze veranderd in een zachtmoedige vrouw en dat is te horen aan haar stem.

'Je houdt met hart en ziel van je kind, je hebt meegemaakt dat ze op sterven na dood was. Haar toekomst baart je zorgen, maar nu is het moment daar dat je met je eigen mening geconfronteerd wordt. Soms moet een mens zo ver zien te komen dat hij zijn gedachten en meningen bijstelt. Je gevoel heeft niet altijd gelijk, weet je. Het is ook niet erg om je zwakke kant te laten zien. Geef de woordenstrijd met Karen op. Ten behoeve van Eveline. Ze heeft immers haar kansen verspeeld! Het besluit van de rechter en de mening van de kinderbescherming zijn echt niet zonder meer terug te draaien. Ook al breek je om de maand een been... Gelukkig heb je er maar twee. Ik zou zeggen: ga voor de spiegel staan. Of zitten in je rolstoel. Kijk jezelf aan en spreek jezelf toe! Luister naar die man. Want vanbinnen weet je heel goed hoe te handelen en te wandelen. Je laat je nu leiden door je vrees het kind kwijt te raken. Geloof me, haar raak je nooit en nooit kwijt. Eveline is trouw in haar hartje. Alleen snakt ze naar meer vrijheid, dat hebben we op de naschoolse opvang allang ontdekt. Ja, stuur haar in de volgende vakantie maar op een ponykamp. Het zal jullie relatie goeddoen. Nu, Thijmen, is ze doodsbenauwd jou ongelukkig te maken. Toen ze een keer van de pony afgekukeld was, riep ze al liggend: "Niet aan mijn vader vertellen, hij mag niet schrikken... Ik kan toch al goed rijden!" Begrijp je, Thijmen?'

Sigrid haalt diep adem. Wat bezielt haar om Thijmen de les te lezen? Ze kijkt gespannen naar zijn gezicht om zijn reactie eraf te lezen. Tot haar geruststelling glimlacht hij naar haar op dezelfde manier als hij Eveline na een werkdag begroet.

'Jij bent me er een. Ik heb die Bussinkmensen helemaal niet nodig, zolang jij af en toe koffie komt zetten.'

Een gil bij het tuinpoortje. Rennende voeten. Eveline komt thuis. 'Sigrid! Wat fijn dat jij er bent. Wil je mijn kamer ook zien? Ik heb nieuwe posters van pony's gekregen, van de mevrouw die voor papa in de boekwinkel werkt.'

Sigrid krijgt een knuffel.

'Haal zelf maar wat te drinken, lieverd,' zegt haar vader.

Eveline schudt haar hoofd. 'We hebben net een heel pak van een nieuw soort fruitdrank opgeslobberd. Mijn buik... maag moet ik zeggen, is helemaal vol.' Ze ploft op een stoel, na de koekjestrommel naar zich toe getrokken te hebben. Drie, vier biscuitjes knabbelt ze achter elkaar weg.

'Het was leuk bij de buren, pap. Maar toch ben ik blij dat ze op vakantie gaan. Ik had steeds het gevoel dat ze het nogal lastig vinden dat ik er telkens zo lang was. En eigenlijk vind ik het daar ook niet zó leuk, pap. De jongens zijn zo wild en eentje zit de hele dag achter zijn computer. En de vader en moeder zitten steeds te kibbelen.'

Sigrid heeft medelijden met het kind: ze leeft het door de vader samengesteld programma. Dit besef maakt dat ze iets zegt wat ze eigenlijk helemaal niet zo bedoelt.

'Waarom ga je niet een week of langer met mij mee naar het huis van mijn ouders? Ik ga er logeren. Zeker weten dat mijn vader en moeder het leuk vinden om twee logés te krijgen. Mijn moeder is dol op koken en mijn vader is een kei met spelletjes. Je hoeft je geen moment te vervelen.'

Ze zwijgt een moment, probeert klaar te komen met de opmerkingen die ze helemaal niet wilde maken. Dan voegt ze er nog iets aan toe, op insinuerende toon: 'Maar ja, het is afwachten of je vader je wel toestemming geeft.'

Eveline gooit haar laatste koekje naar een merelvader en vliegt op van haar stoel. 'Pappie! Toe, je zegt toch steeds dat ik niets voor je kan doen. Mag het, alsjebliehiehieft?'

Ze springt op haar vaders schoot en een gemeende kreet schrikt haar niet af. 'Kindjelief, voorzichtig. Ik zit nog onder de blauwe plekken. Natuurlijk vind ik het prima... alleen nooit gedacht...'

Sigrid staat op.

'Ik wil nu je kamer wel zien, Eveline. Ik moet mijn koffier nog inpakken en een wasje draaien.'

Eveline kust haar vader en dartelt om Sigrid heen. 'Ik ben zó erg blij! Dan heb ik jou voor mezelf alleen, op de naschoolse opvang zijn er altijd zo veel kinderen die je met huiswerk moet helpen. Kom, dan gaan we naar boven.'

Sigrid staat op om het enthousiaste kind te volgen, ze vermijdt met opzet om naar Thijmen te kijken.

Medelijden, dat is de reden waarom ze iets voorstelde wat ze niet ten diepste wil.

'En dit is mijn kamer. Mama vindt het een hokje, maar ja, ze woont dan ook in een heel, heel groot huis. Omdat haar nieuwe man zo rijk is, zegt papa. Maar deze kamer is groot genoeg. Ik heb een schoolvriendinnetje die met twee zusjes op één klein kamertje moet slapen. Ze heten Huizinga, misschien ken je ze wel.'

Sigrid zegt dat ze alleen kinderen kent die naar de naschoolse opvang komen.

Eveline geeft haar een rondleiding, als was ze in een of ander openbaar gebouw waar wat te bezichtigen valt.

'Dat zijn mijn lievelingsposters. En je mag ook in mijn kasten kijken. We hebben wel een hulp voor het werk in huis, maar ik ruim zelf mijn kasten in. Kijk, het ondergoed in de laden, de broeken, rokken en jurken hangen hier. En daar is mijn bureau.'

Sigrid laat zich op het bed zakken.

'Je hebt een leuke kamer, meisje. Zullen we vast een koffier voor je inpakken? Of kun je dat alleen?'

Een vreugdekreet. 'Even papa vragen welke koffer ik moet meenemen. Trouwens, die staan op zolder. Durf jij wel op de trap? Die moet je naar beneden trekken. Ik mag er van papa nooit op, maar ik kan het best.'

Rennen naar papa, die zegt dat de koffer op wieltjes het meest geschikt is. 'Niet zelf klimmen!' roept hij haar na.

Sigrid vraagt zich af hoelang Eveline hem nog zal gehoorzamen. Als ze in opstand komt, zoals andere kinderen, zal Thijmen zich geen raad weten. Enfin, dat is niet haar zorg.

De zolder is niet zo keurig als de rest van het huis. Her en der staan dozen, kisten en allerlei spullen die schijnbaar niet van de hand gedaan mogen worden.

De koffers staan in een hoek waar Sigrid niet kan staan. Kruipend op haar knieën grijpt ze de eerste de beste. De koffer voelt zwaar aan en als ze hem openknipt, ziet ze foto's, niets anders dan foto's.

Thijmen en Karen, innig gearmd, op een andere zoenend. Ze weet hoe dat voelt. Een grote bruidsfoto die half doorgescheurd is. Arme Thijmen.

Ze knipt de koffer weer dicht en gaat op zoek naar de koffer op wielen. Ze worstelt om hem onder een stapel rommel vandaan te trekken en als Eveline haar roept, kijkt ze om.

Een blond kopje boven het zolderluik. 'Niet aan papa vertellen, Sigrid. Hij ziet het nu toch niet. Heb je hem? Fijn!'

Als Sigrid eindelijk met de koffer de smalle trap af stommelt, staat Eveline te springen.

'Hij is leeg, we kunnen beginnen met inpakken. Wanneer kom je me halen, of mag ik nu al mee?'

Sigrid steekt afwerend beide handen op.

'Morgen. Ik moet nog van alles doen. Een paar mensen bellen, opruimen, dat soort dingen. Ik kom om halfelf, koffietijd, zullen we maar zeggen.'

De koffer is snel gepakt. Ondergoed, bikini, sokjes, een paar broeken, korte en lange. Maar een bepaalde jurk moet ook mee. 'Die is zo mooi. Maar papa vindt het niet leuk als ik hem draag, omdat mama hem heeft gekocht.' Ze grist de jurk van een hanger en houdt hem voor zich.

'Je moet hem wel dragen, Eveline, je groeit zo hard,' vindt Sigrid. Ze vist onder uit de kast een paar sandalen.

'Die passen eigenlijk niet meer,' zegt Eveline, 'maar papa heeft nooit tijd om mee te gaan om nieuwe te kopen. Misschien dat wij samen...'

Sigrid streelt het blonde kopje. 'Natuurlijk. We gaan samen winkelen. Ik heb ook nog van alles nodig.'

Sigrid draagt de koffer de trap af en zet hem bij de voordeur.

'En?' roept Thijmen vanaf het terras. Hij klemt zijn handen om de stoelleuning, klaar om op te springen – wat niet zou lukken.

'Alles in orde. Koffer gepakt. Eveline schijnt nieuwe sandalen nodig te hebben, zal ik die dan maar aanschaffen?'

Thijmen knikt schuldbewust. 'Je koopt maar wat nodig is. Bonnen bewaren. Ik wil je ook wel geld meegeven?'

Sigrid schudt haar hoofd.

'Ben je mal, dat komt allemaal later wel terecht. Ik moet er nu vandoor. Morgen, rond koffietijd, kom ik haar halen. Dus voor nu: tot morgen dan maar.'

Thijmen grijpt haar hand en houdt hem stevig vast, er is geen ontsnappen mogelijk.

Ze moet hem wel aankijken.

'Sigrid...'

Ze schudt haar hoofd. Niet toegeven nu. Medelijden, zo heeft ze van haar ouders geleerd, is een misleidende emotie. Het leidt nergens toe en het is de stuwende kracht achter foute beslissingen.

'Tot morgen, Thijmen. Ik zal mijn best doen het voor Eveline zo prettig mogelijk te maken.'

Thijmen grijnst. 'Als Karen belt, heb ik wat te vertellen, want ze weet als geen ander dat ik het kind alleen meegeef aan eh... mensen die bijzonder voor me zijn.'

Sigrid rukt haar hand los en keert zich van hem af.

'Tot morgen.'

Heel even schiet het door haar heen: kan ik nog op mijn uitnodiging terugkomen? Eén blik op Eveline doet haar blozen. Dat kan ze het kind niet aandoen.

'Ik kom er wel uit, Eveline. Als ik jou was, zou ik de tekenspullen inpakken. Misschien een paar boeken? Spelletjes heeft mijn moeder nog genoeg op zolder liggen.'

Eveline springt om haar heen.
'Was het maar morgen. Dag lieve Sigrid, bedankt!'
Een stevige knuffel, eerder laat ze de visite niet gaan.
Of Sigrid ook zo blij is?
'Wat dacht je?'
Er is veel, héél veel, vindt Sigrid, om over na te denken.

18

DE OUDERS VAN SIGRID ZIJN VERBAASD ALS SIGRID ZEGT DAT ZE EVELINE meebrengt.

'Het is geen vraag, meer een mededeling,' stelt haar verbaasde moeder vast. 'Er is toch niets tussen jou en die vader? Want geloof me, het kind van een ander grootbrengen kan enorme problemen geven.'

'Mam! Ik handelde puur uit medelijden toen ik voorstelde dat ze bij ons zou mogen logeren. Mam... jij bent als balsem voor de ziel van dat meisje. Ik ken je toch. En ik heb gewoon medelijden met vader en dochter.'

'Kom dan maar gauw, lieverd. Ik moet alleen de logeerkamer opruimen. Er staan nog dozen vol spulletjes van jou.'

Daar had Sigrid even niet aan gedacht. 'Laat alles maar staan, mam. Ik moet Eveline toch bezighouden. Samen de kamer klaarmaken is best een leuk karwei. Dan kan ik meteen zien of ik nog wat van de uitzet in de stacaravan kan gebruiken.'

De volgende ochtend is Sigrid eerder klaar met de voorbereidingen van het uitstapje dan gedacht. Daardoor heeft ze tijd genoeg om uitgebreid afscheid van Susan en de baby te nemen. Maar ook voor afscheid van tante Ada.

'Ik wist wel dat je langs zou komen. Kopje koffie? Ik heb koekjes voor je moeder gebakken. We kunnen in de tuin zitten, Lars heeft mijn oude bank gerepareerd, die is nog van mijn overgrootvader geweest. De poten zijn nog origineel, maar hij heeft vaak nieuwe planken gekregen.'

Tante Ada is verbaasd als ze hoort dat Sigrid Eveline meeneemt. 'Die arme Thijmen. Gelukkig heeft hij in de boekwinkel een goede invalkracht. Leuke meid, ze woont tijdelijk boven de zaak. Ze heeft beloofd prentenboeken voor me te bestellen. Herdrukken! Ze begreep mijn enthousiasme ervoor. Haar vader spaart alles van Van der Hulst.'

Sigrid leeft met tante Ada en haar liefhebberijen mee. 'Wilt u niet op vakantie, tante Ada? U bent zo fit. Een busreis bijvoorbeeld?'

Nee, dat is niets voor Ada Berkhout.

'Al die kakelende vrouwen... ze hebben vaak soms zelfs nog een man! Ik bedoel maar: nergens raakvlakken. En om er in mijn uppie op uit te gaan, lijkt me ook niets. Wie weet loop ik nog eens tegen een mens aan die net zo eigenwijs is als ik ben.'

Tante Ada begint over 'de man van de tv'. Daarmee bedoelt ze Willem Beker.

'Hij zat behoorlijk achter je aan, Sigrid. De jongens hier hadden het ook door. Niks voor jou! Per slot van rekening hebben we Lars en Dennis ook nog.'

Sigrid plaagt haar: 'U wilt me aan de man hebben. Maar nee, vrijheid, blijheid, lieve tante Ada. Weet u wat? Zodra we de gelegenheid hebben, maken we samen vakantieplannen. Ik heb er niet over nagedacht, maar we hadden best samen een reisje kunnen maken. Misschien in het najaar? Naar de bergen, de mooi verkleurde bossen in Duitsland? Denk er maar over na.'

Ada bloost van genoegen.

'Lieverd, dat is me nogal iets om naar uit te kijken. Reken maar dat ik dat zal doen, erover nadenken!'

Dennis en Lars komen ook op de koffie af.

'Kom maar snel weer terug,' vindt Lars en Dennis knikt instemmend. Voor hen geen vakantieplannen: wel willen ze op hun racefietsen tochten door het land maken. 'Misschien komen we nog wel bij jou en je ouders langs.'

Sigrid kijkt op haar horloge. Koffietijd, zeker weten.

'Ik moet ervandoor. Eveline Schreurs gaat namelijk met me mee. Thuis heeft het kind niets nu haar vader daar met een gebroken been zit.'

Een knuffel voor tante Ada. Lars doet niet voor tante Ada onder en houdt Sigrid even stijf tegen zich aan. 'Dag zangeresje van ons. Denk er nog maar eens goed over na: wij willen je niet missen. Met jou zijn we begonnen en waarom zou je iets wat goed gaat, willen stoppen?'

Sigrid wurmt zich los, ze kust Lars dan op beide wangen.

Dennis duwt hen uiteen. 'Nu is het mijn beurt.'

Sigrid pakt de trommel met verse koekjes, loopt naar het tuinhekje en zegt: 'Gekust en geknuffeld vervolgde ze haar weg. Adieu, jullie alle drie! Mooi weer gewenst, dan hebben Eveline en ik het ook.'

Ze lopen mee tot aan de auto. Sigrid kijkt verbaasd in het achteruit-kijkspiegeltje voor ze wegrijdt: drie gezichten die iets schijnen te willen zeggen.

Een luide claxonstoot en weg is ze. Op naar het huis van Thijmen.

Zo te zien heeft Thijmen bezoek. Het blijkt niemand minder dan de bedrijfshulp te zijn. Een mooie jonge vrouw met een oosterse uitstra-ling. Op tafel liggen papieren en een aantekenboek.

Ze legt uit: 'Soms is het aftasten en zoeken als je voor een collega invalt. Zodoende moet ik Thijmen meer dan eens lastigvallen.'

Martine Winkels is bij Thijmen kind aan huis, merkt Sigrid. Misschien trapt deze vrouw in de val: moeder worden van een kind zonder mama.

Eveline dartelt door het huis. Ze heeft een plastic boodschappentas vol-gepakt. Stuk voor stuk legt ze de uitverkoren voorwerpen op tafel, ter-wijl Martine voor Sigrid een kopje koffie uit de keuken haalt.

Thijmen kijkt vertederd naar zijn dochtertje dat opsomt wat ze in haar kleine handen pakt. 'Schetsboek, verfdoos en kleurpotloden. Natuurlijk ook de rest, gum, liniaal en puntenslijper. Nog een reserveschetsboek en een nieuw boek. Kijk eens, Sigrid, van Martine gekregen, met teken-voorbeelden. En geld voor een cadeautje voor jouw vader en moeder, dat zit in deze portemonnee. Als bedankje, je weet wel. Dat hoort zo, zegt papa. En ik mag schoenen kopen, maar ook een bikini. Vanochtend paste ik de oude, maar papa zei dat die echt niet meer kan. Papa wil dat ik een badpak koop, Sigrid, maar een bikini is toch leuker? Dat heeft iedereen...'

Sigrid ontwijkt de blik van Thijmen. 'Vind ik ook, meisje. We vinden vast een heel erg leuke.'

En ze denkt: er staat Thijmen nog wat te wachten als Eveline van klein meisje groot meisje wordt, puber, adolescent...

Het afscheid tussen vader en dochter is warm, zoals altijd. Maar dit keer heeft Eveline wel erg veel haast. 'Dag pap, voorzichtig zijn met je been. Bel je me wel?'

Ze grabbelt in de zak van haar vestje en tovert een mobieltje tevoorschijn. 'Van papa gekregen. Alle belangrijke nummers staan er al in. Behalve die van mama. Maar dat komt nog wel.'
Martine krijgt zowaar ook een dikke pakkerd van het kind. En het is Martine die meeloopt tot aan de auto en hen uitzwaait.
'Eindelijk!' jubelt Eveline als ze de straat uit rijden. 'Nu ben ik ook echt op vakantie!' Haar mondje staat de hele reis niet stil.
Zodra Sigrid de kans krijgt, vertelt ze dat de logeerkamer nog niet klaar is. 'Dat gaan we samen doen. Ik moet nog veel spulletjes opbergen die ik heb aangeschaft toen ik trouwplannen had. Die kunnen voorlopig wel naar zolder, daar is nog ruimte genoeg. In de stacaravan heb ik er geen plaats voor.'
Leuk, Eveline vindt alles leuk. Zelfs een file. Mensen kijken, zwaaien naar andere kinderen. Uit het raampje hangen. En maar praten, praten...
Een uur later dan gepland rijden ze de straat in waar Sigrids ouders wonen.
'Daar is het. Ik zie je moeder in de voortuin. Zal ik tante tegen haar zeggen?'
Dat is best, vindt Sigrid. 'Tante Anja. En mijn vader wordt voor jou dan oom Frits.'
Een warme omhelzing. 'Wat fijn dat je van je vader mocht meekomen. We gaan leuke dingen doen. Koekjes bakken, misschien een cake...'
'Dan kunt u me leren koken, want mijn vader heeft zijn been gebroken. Zo zielig, hè Sigrid?'
Er staat een lunch voor hen klaar. Over het hoofdje van het kind heen praten moeder en dochter bij.
'Je moet niet schrikken, Sigrid, maar we hebben al twee keer Jeroen op bezoek gehad. Zijn vader is overleden en hij was daar behoorlijk van aangeslagen. We hebben hem weer moed ingesproken. Tja, wat moesten we anders? We konden hem toch moeilijk op straat zetten?'
Aarzelend vervalt Anja in zwijgen, ze wacht gespannen af hoe Sigrid zal reageren.

Wel, die trekt een boos gezicht, maar vanwege Eveline weet ze zich te beheersen.
'Ik weet niet, mam, wat was de achterliggende gedachte? Hoop jij, hoopt pap, dat wij weer bij elkaar komen? Ik zei onlangs nog tegen Willem Beker, je weet wel, de man die me geleerd heeft hoe ik het bandje van dienst kan zijn door de agenda en alles wat er zoal bij komt, te beheren. Hij heeft ervaring met tv en kent de problemen waar je tegen aanloopt...'
'Wat zei je dan wel tegen die man?'
Moeder en dochter kijken zonder het echt te zien, hoe de kleine logee probeert zonder morsen honing uit de pot op de boterham te krijgen. Anja wijst haar op de speciale lepel: een stokje waarvan aan het uiteinde een gedraaid stukje hout zit, dat bestemd is om de honing vast te houden.
'Wat een lief bijtje zit daarbovenop. Zien of het me lukt.'
Sigrid haalt diep adem en ergert zich aan haar blos. 'Wel, hem heb ik gezegd dat ik de eerste tijd niet toe ben aan wat voor relatie dan ook. En dat alles komt door Jeroen en zijn manier van doen. Ik zal je vertellen, mam, dat het je leven overhoopgooit als iemand die je vertrouwde, je als het ware in de goot dumpt.'
Anja gaat er rechtop voor zitten.
'Moet ik die man kennen, die Willem Beker?'
Sigrid weet niet hoe snel ze haar hoofd moet schudden. 'Hij is wat pap en jij noemen een *l'homme du monde*, een man van de wereld. Hij dacht... hij zag me van een bepaalde kant en dacht dat ik bij hem zou passen, wat niet het geval is. Echt niet. Vergeet de naam, mam!'
Jeroen. Het is of hij opeens in hun midden is. Tussen de schaal verse broodjes en de honingpot.
'Heb je vakantie, mam? Papa toch ook?'
Anja legt uit dat Frits met een vriend op stap is. 'Ergens kamperen bij de boer of in de vrije natuur, vissen, dat soort dingen. En nee, ik heb nog geen vakantie, maar feit is dat ik veel minder werk. De bibliotheken weten wat bezuinigen is. Ach, mijn dagen zijn goed gevuld. Zeker

nu.' Een blik op Eveline is genoeg.

Nog voor ze klaar zijn met eten, rinkelt de telefoon: Thijmen Schreurs, die superbenieuwd is hoe het met zijn kleine meid gaat.

Anja zet grote ogen op als ze haar dochter, die de telefoon heeft aangenomen, hoort praten.

'Tja, wat zal ik zeggen. We zijn beklemd geweest, twee keer, in dat wat je een kettingbotsing noemt. Eveline werd misselijk en heeft de auto ondergespuugd en toen we op drie wielen eindelijk arriveerden...'

Verder verzinnen en jokken lukt niet, omdat Eveline gilt van plezier.

'Niks geen botsingen, en gespuugd heb ik ook niet. Je bent een jokkebrok, Sigrid! Hoe kan een auto nou op drie wielen rijden?'

Sigrid geeft haar een knipoog en loopt met de telefoon in de hand naar de eettafel. Ze hoort Thijmen zwaar ademen, de grap is niet overgekomen.

'Papa!' gilt Eveline en ze steekt bevelend een hand uit.

Sigrid overhandigt haar de telefoon en denkt: niet vergeten straks met een doekje over het ding heen te gaan, de vingertjes van Eveline zitten vol honing.

'Jáha! Het ging allemaal heel goed. Het is fijn in het huis van Sigrids moeder. Ik mag haar tante Anja noemen. En Sigrids papa heet oom Frits. Ik leer koken en dat soort dingen, pap. Dan kan ik voor je zorgen en hoeft Martine niet steeds te komen helpen.'

Dan geeft ze na een kusgeluidje in de lucht, de telefoon terug aan Sigrid.

'Die grapjes kan ik niet waarderen, Sigrid. Kettingbotsingen... Enfin, ik moet het je maar vergeven.'

'Dat zou ik maar doen. Dag Thijmen, Eveline belt zelf wel weer.'

Eveline hervat de oefening met de honinglepel. 'Het lukt. Zonder knoeien, en lekker dat het is!'

Na de lunch stuurt Anja dochter en logee naar boven. 'Begin maar aan de logeerkamer. Je moet zelf maar zien waar je de rest van je uitzet laat.'

Als ze de trap op klauteren vraagt Eveline wat een 'uitzet' wel mag zijn.

'Simpel, spullen verzamelen voor de dag dat je op jezelf gaat wonen. Of trouwen. Dat kan ook. Vroeger, toen mijn oma een meisje was, begonnen meisjes van jouw leeftijd er al mee. En háár moeder had een grote kist waar ze alles in bewaarde. Alles maakten ze zelf. Lakens omzomen, er een monogram op borduren of er leuke stukken kant tussen zetten. Ondergoed, dat maakte mijn overgrootmoeder ook zelf. Nachtponnen, van flanel en tot op de grond.'

Sigrid opent de deur van de logeerkamer en kijkt gespannen om zich heen. Wat heeft ze hier zitten fantaseren, over de toekomst waar Jeroen de hoofdrol in speelde. Speelde, want de droom bleek een nachtmerrie. 'Nachtponnen tot op de grond? Wel lekker warm. Martine heeft een keer bij ons geslapen toen de kamers boven de winkel nog niet klaar waren. Ze droeg iets heel raars toen ze naar bed ging. Een broekje met elastiek en een bloesachtig ding met kantjes. Ze noemde het een 'babydoll'. Nooit van gehoord, jij?'

Sigrid haalt haar schouders op. Martine die door het huis van Thijmen liep in een nachtelijk kledingstuk uit de jaren zestig.

'Jawel. Mijn overgrootmoeder naaide ook zelf de handdoeken, de theedoeken en dat soort dingen. Ze waren altijd bezig met haken, breien en naaien. Dat vertelde mijn oma me vroeger.'

Eveline gaat op haar knieën zitten en opent een wasmand. 'Die zit vol spullen. Spaar jij die? Beeldjes... wat een mooie. En vazen. Dingen van glas.'

Sigrid hurkt bij haar neer. 'Dat is kristal. Duur glas, die beeldjes horen in een vitrine of een soort letterbak en ze zijn erg duur. De mand is nog niet vol, we stoppen er nog wat spullen bij.'

De rest vindt Eveline saai. Pannen, kopjes en schotels. 'Die heb je in de stacaravan toch ook nodig?'

Sigrid voelt de pijn van dat wat ze de 'scheiding' noemt, weer steken. Pannen? Ja, twee kleine en een koekenpan heeft ze meegenomen. En een paar onderdelen van het complete servies.

Ze maakt een grote doos leeg en stopt het deels goed verpakte serviesgoed er zo in dat het veilig is. 'Ik breng dit niet allemaal naar zolder. Weet je wat, die grote mand en een paar dozen kunnen best in de hoek van de kamer staan. Eens zien wat we nog meer kunnen opbergen. Jaja, dekbedden, die gaan naar zolder, de hoezen ook. En al die handdoeken...'

Aan elk voorwerp kleeft een herinnering. Ze weet nog waar ze de spullen kocht, hoe ze ze op haar lijst in een speciaal boekje afstreepte. Wat was ze onnozel. Goed van vertrouwen.

Eveline vouwt de kleppen van een verhuisdoos wijd open.

'Hier kunnen je bedspulletjes wel in, Sigrid. Mijn vader zou zeggen: schrijf met een dik stift op elke doos wat erin zit.'

'Slimme papa heb jij. Wil jij dan beneden bij mijn moeder een stift halen? Die vind je wel in de keukenlade.'

Anja komt even later achter Eveline aan mee naar boven.

'Dat ziet er al beter uit.'

Eveline gaat weer op de grond zitten en kijkt verlangend naar de gesloten dozen die eruitzien als cadeautjes.

Opeens staat de verzameling Sigrid tegen.

'Moet ik helpen?' Anja ziet het gezicht van haar dochter betrekken. Ze kent haar als geen ander. 'Ik heb beneden nog wat grote dozen staan. Die neemt je vader altijd mee uit de supermarkt met de kreet: voor het oud papier. We hebben aan één doos van gemiddelde grootte genoeg voor een maand. Maar ja, nu staat er een toren van karton in de garage. Ik ben zo terug.'

Eveline kijkt verrukt naar een doos waar een kleine koekoeksklok in zit. 'Doet-ie het echt, Sigrid?'

Sigrid peinst: hoe komt ze ook alweer aan dat ding? Gekregen, gekocht? Geloot op een bazaar?

'Wil je hem hebben?'

Dat was het, geloot op een bazaar van de kerk. Ooit.

Eveline krijgt een blos. 'Dat meen je niet, Sigrid... zoiets moois geef je toch niet weg?'

Toch wel.

Anja komt weer terug met een paar dozen waarin kleinere dozen zitten.

'Sigrid?'
'Je mag hem echt hebben. Eigenlijk houd ik niet zo van dat soort klokken. Het zijn van die druktemakers. Zal ik hem eens voor je laten slaan?'
Het kind is blij. Haar zichtbare vreugde geeft Sigrid ook weer een kick.
'De dozen, kind. Genoeg zo? Zal ik helpen ze naar zolder te verplaatsen?'
Dat klinkt zo definitief. Eigenlijk wil Sigrid niets naar zolder brengen.
'Moet het? Als ik alles in een hoek opstapel... Ik denk niet dat Eveline er slecht door zal slapen.'
'Wat jij wilt. Ik help wel. Dan kunnen we vanmiddag nog wat ondernemen. Het weer is prima en papa komt pas overmorgen thuis. Dan kunnen we in de stad wat eten, leuk voor Eveline, toch?'
Vele handen maken het werk licht, vooral wanneer je niet met de spullen in je hand wegdroomt.
Anja kijkt tevreden om zich heen als alles in dozen zit. 'Zo, nu kun je het eventueel later zó meenemen.'
Dat 'eventueel' doet iets breken in Sigrid. Ze knippert heftig om haar tranen tegen te houden.
'Ik ga beddengoed halen. Kom, Eveline, meisje, dan mag jij kiezen welke hoes we om het dekbed heen doen. Je kunt kiezen tussen bloemenpatronen, ruitjes of strepen. Kom maar met me mee. En Sigrid, als jij nu even de stofzuiger haalt, dan zijn we gelijk klaar.'
De 'bovenstofzuiger' staat in de gangkast en als Sigrid driftig papiersnippers en prutteltjes opzuigt, klinkt het stemmetje van Eveline boven het gezoem uit.
Het werkje is snel geklaard en Sigrid trapt met een voet op de uitknop. Kon ze de knoppen die haar gemoed bezighouden, ook maar zo vlot bedienen. Met een tik van haar voet.
Als dat eens mogelijk was.

19

WIE HET MEEST VAN DE VAKANTIE GENIET, IS DE VRAAG: EVELINE, SIGRID OF Anja.
Het is na een paar dagen duidelijk, Anja is verrast door haar eigen gevoelens. Ze is niet langer 'tante Anja', maar 'oma'. En dat bevalt haar best. Weliswaar een jonge oma, maar dat mag de pret niet drukken.
Met Eveline naar de markt, de dierentuin, het zwembad, een dagje naar zee, de kermis... het kan niet op. Af en toe trekt Sigrid zich terug. Mam redt zich wel met haar 'kleinkind'.
Als ze die twee op een middag heeft uitgezwaaid en zich voorbereidt op een heerlijke rustige middag, wordt ze verrast door de bel. Niemand minder dan Jeroen staat op de stoep. Hij gaat bijna schuil achter een enorme bos bloemen.
'Ik reed langs en zag je auto staan, Sigrid. Toevallig kwam ik in de stad je moeder tegen en die vertelde dat ze vandaag met een logee op stap is. Dus greep ik mijn kans en hier ben ik dan. En maar hopen dat ik binnen word genodigd.'
Sigrid staart hem over de margrieten en floxen aan. Het is alsof haar benen van stopverf zijn. Jeroen, die op de stoep staat en haar aankijkt zoals heel, heel lang geleden.
Ze doet een stap achteruit, krijgt de bloemen in haar arm gedrukt en met een voet duwt Jeroen de voordeur achter zich dicht.
'De bloemen zijn voor jou, maar de anderen mogen meegenieten. Zullen we samen een vaas zoeken?'
Sigrid krijgt haar stem terug, maar die klinkt toch schor als ze zegt dat ze die niet hoeft te zoeken. 'Ik ken hier de weg. Zoek een stoel, voor het geval je even wilt blijven.'
Duidelijker durft ze niet te zijn.
Ze pakt de grootste vaas die haar moeder rijk is en deze is nauwelijks groot genoeg om de bloemen behoorlijk in het water te krijgen.
'Dat staat je geweldig, een bos bloemen in je armen. Ik ben gekomen om met je te praten, Sigrid.'

Jeroen begint zich duidelijk te ontspannen. Breeduit zit hij op de bank, het ene been over het andere geslagen, een arm op de rugleuning. Sigrid slikt moeilijk en vraagt zich af waarom ze van streek is. Ze was toch klaar met Jeroen? Ze had het allemaal achter zich weten te laten. En ook is het duidelijk dat ze absoluut niet toe is aan een nieuwe relatie.

Ze vergeet Jeroen wat te drinken aan te bieden en gaat een eind van hem af zitten, op een eetkamerstoel, vlak naast het boeket.

'Je ziet er goed uit, Sigrid. Je huid is lekker gebruind, hij kleurt geweldig bij je blonde koppie. Ik mis je, meisje. Daar kom ik over praten.'

Sigrid schudt haar hoofd. Wat zou ze er maanden geleden voor gedaan hebben om die woorden uit Jeroens mond te horen. En nu? Wat doet het haar nu?

'Erover praten? Ik zou zeggen: alles is gezegd, Jeroen. Je hebt mij laten vallen voor dat vriendinnetje uit je jeugd. Vond ze het huis is Limburg niet mooi? O nee, dat ging niet door, toch? En viel jij haar tegen? Kon ze je niet bijhouden in dat wat jij je ontwikkeling en groei noemt?'

Jeroen lacht zijn charmantste lach. 'Ach, wat ken je me heerlijk goed. Weet je dat me dat een kick geeft? Jij ben een vrouw die iemand niet naar de mond praat en voor je eigen mening durft uit te komen. Dat heb ik niet genoeg gewaardeerd, lieve schat en dat spijt me enorm. Maar wat graag zou ik de klok terugdraaien en samen met jou in dat huis trekken. Het wordt nu van onder tot boven schoongemaakt door een bedrijf. De tuin gaat op de schop. Maar dat feest gaat aan onze neus voorbij. Over een paar maanden hadden wij erin kunnen trekken. Getrouwd of niet getrouwd, maakt mij niet uit.'

Er wordt iets wakker in Sigrids hoofd.

'Vanzelf maakt jou dat niet uit. Vooral dat ongetrouwd. Dan kun je zo weer van de een op de ander overgaan. Je bedenksels, Jeroen, zijn krom. Je hebt met me gespeeld en ik, sufferd die ik soms ben, trapte erin. Je hebt me pijn gedaan...'

Toch komen nu de tranen. Teken van zwakheid, vindt ze zelf.

Jeroen springt op en knielt tot haar schrik voor haar neer. Hij grijpt haar ijskoude handen, vouwt ze in die van hem en Sigrid moet toegeven dat het haar wat doet, Jeroen zo te zien.

Ze buigt haar hoofd, wil niet in zijn ogen kijken.

'Je denkt er te gemakkelijk over. Jij speelt met de harten van vrouwen. Je bent...'

Jeroen fluistert dat hij het weet. Egoïstisch.

'Weet je wie dat tegen mij zei? Mijn vader, op zijn sterfbed. Toen durfde hij opeens uit de kast te komen en somde op waar ik moeder en hem pijn mee heb gedaan. Echt, Sigrid, als je erbij was geweest, zou je nu nog huilen. Hij sabelde mij neer, Jeroen als kind, als scholier, als volwassen man. En het zal je goeddoen dat hij het ook telkens over jou had. Ik beloofde hem pogingen te doen je terug te krijgen...'

Sigrid heft haar hoofd op. Deze woorden zijn zo niet-Jeroenachtig!

'En jij gaat doen wat je vader voorstelde? Moet ik dat geloven? Het is als een tekst uit een smartlap. Jeroen, maak het ons niet zo moeilijk. Het is uit, het is over, het is voorbij. Er is te veel gebeurd!'

Jeroen kijkt haar ongelovig aan. Hij komt overeind zonder haar handen los te laten. Sigrid doet een zwakke poging ze te bevrijden. Wat niet lukt, Jeroen is zoveel sterker dan zij.

Wat ze niet wil, gebeurt. Jeroen grijpt zijn laatste kans en trekt haar stijf tegen zich aan, zodat ze moet merken dat hij het meent, op alle fronten.

Hij kust haar, ze kan geen kant op.

Ze kent zijn manier van zoenen, het was vaak de enige vrijheid die ze hem toestond, tot zijn ergernis.

'Ik snak naar je, Sigrid. Je weet het, je voelt het, je kunt er niet omheen. Geef toe!'

Sigrid voelt zich zwak worden. Het zou zo gemakkelijk zijn. Terugkeren naar het bekende leventje van toen. Samen naar een geweldig leuk huis, zoals dat in Limburg, daar opnieuw beginnen. Wat weerhoudt haar?

'Is er een ander?' Jeroen blaast de woorden in haar oor.

Een ander?

Dennis, Lars, Willem en dan is daar ook nog Thijmen.

Ze knikt.

'Dacht je dat ik al die maanden... zonder... Natuurlijk zijn er anderen, meer dan één. Maar ik durf me niet meer te binden en dat komt door jou. Het is jouw schuld dat ik het vertrouwen in de man als levensgezel kwijt ben geraakt. Ik ken je toch... het zou even goed gaan tussen ons. Geweldig, net als toen we pas omgang hadden. Maar dan schuif je me opzij. Je werk, je vrienden, je hobby's en weet ik wat meer. Jij bent niet wie je lijkt, Jeroen Harmsen!'

Jeroen buigt deemoedig zijn hoofd en zegt dat hij veranderd is. Eindelijk volwassen, beweert hij.

'Soms moet een mens iets verliezen voor hij weet dat hij er niet buiten kan. In dit geval niet iets, maar een mens, een vrouw, jij dus. Toe, lieveling, denk er tenminste over na. Wijs me niet zonder meer af. Je weet toch wat ik je kan bieden?'

Sigrid voelt zich zwak worden. De weg van de minste weerstand. Loskomen van de bioboerderij, de opvang van kinderen, haar stacaravan. De jongens, Lars en Dennis. Zeker weten dat hun gelederen zich snel zouden sluiten, en dat ze verder zouden leven zonder aan haar te denken.

Alleen tante Ada, die zou haar vast blijven houden.

Om de muziek hoeft ze het niet te laten, ze is erachter dat Annelies Bussink een stem heeft met veel mogelijkheden. Een nieuwe leidster voor de naschoolse opvang zal snel zijn gevonden.

'Nee... Jeroen...' klaagt ze en op slag heeft ze een visioen waarin de dozen met uitzetspullen pootjes krijgen, de trap af hobbelen en hen beiden insluiten.

Weer een zoen, een waar ze vroeger vaak naar hunkerde. Liefdevol, onderzoekend en niet-eisend.

Ze laat zich gaan, het is zo vertrouwd.

En dan: gered – wat heet gered in dit geval – door de rinkel van de telefoon.

Het is alsof ze beiden een elektrische schok krijgen. Sigrid voelt Jeroens greep verzwakken, ze rukt zich los en duikelt meer dan ze loopt naar het kastje waarop de telefoon van haar ouders staat.

'Ja?'

En dan, ontzet: 'Mam! Wat is er, waarom bel je... Eveline?'

Het duurt even voor het tot Sigrid doordringt wat de reden van het onverwachte belletje is. Mam zal immers nooit zonder reden bellen.

'Eveline is buiten bewustzijn. Maar het komt wel goed. En ik heb kneuzingen en overal pijn, de auto... jouw wagentje, is in puin...'

Mam die hysterisch huilt.

Jeroen begrijpt dat er wat aan de hand is. Hij legt beschermend een arm rond Sigrids schouders en luistert mee.

'Een ongeluk, mam, hoe dan?'

Het komt er hakkelend uit.

Een vrachtwagen die vóór haar reed, begon te scharen en de chauffeur verloor de macht over het stuur. Een botsing was onvermijdelijk. Anja probeerde nog de berm in te duiken, maar dat mislukte en ze knalde tegen een boom aan.

'Het is mijn schuld niet... niet echt. Maar het is wel gebeurd. Nu moet jij me komen halen, probeer papa te bereiken. Sigrid, kom alsjeblieft snel!'

Als de verbinding is verbroken, tuimelt Sigrid van de ene emotie in de andere. Jeroen neemt haar in zijn armen, kust haar kruin en streelt haar rug. Zo bekend allemaal.

'We gaan samen. Het heeft zo moeten zijn dat ik juist nu hier ben. Pak je tas, of wat je ook denkt nodig te hebben. Ik ben er voor je, liefste.'

Sigrid kan niet anders dan dankbaar zijn voor de geboden hulp. Ze laat zich leiden, schuift op de voorbank en met bevende handen klikt ze de gordel vast.

Eveline! Niet aan denken wat er zal gebeuren als het mis zal gaan. Thijmen, die komt er vast nooit overheen als Eveline... nee, niet aan denken. Mam heeft toch gezegd dat het weer goed zal komen? Vader en dochter, beiden slachtoffer van een aanrijding.

Jeroen kent de weg naar het ziekenhuis. Telkens als het verkeer het toe-

laat, legt hij een warme hand op Sigrids linkerbovenbeen. Zo vertrouwd. Ooit was hij toch de man met wie ze oud wilde worden.
Jeroen is een kei in het vinden van een parkeerplaats, altijd geweest. Hij ziet gelijk bij aankomst dat een man de sleutels uit zijn broekzak haalt en richting de geparkeerde wagen loopt. Jeroen schakelt, schiet langs twee langzaam rijdende auto's heen en schuift op de zojuist vrijgekomen plek.

Hij klikt de gordel van Sigrid los en loopt om de auto heen om haar bij het uitstappen van dienst te zijn. Sigrid laat zich maar al te graag helpen.

'Dit kan ik niet aan, het is te veel. Als ik aan Evelines vader denk... Thijmen... hij vermoordt me als Eveline...'

'Sst. Niet zo praten. Kom, ik weet wel waar we moeten zijn. Houd je maar aan mij vast.'

Een overbekende arm om haar heen, voeten die zich aan haar snelheid aanpassen. Samen de grote hal in, langs de balie, de winkeltjes en het restaurant waar in een hoge ton ballonnen met allerlei voorstellingen erop zacht heen en weer wiegen. Een barbiehoofd, Muppets, een clown die Sigrid lijkt uit te lachen en een paar harten met teksten erop: *Ik houd van je*, *Liefste lief* en meer van dat soort kreten.

Sigrid wendt haar hoofd af. Jeroen trekt haar opzij als achter hen een bed opduikt, waarachter een broeder die het voortduwt, geholpen door een mechanisme onder het bed.

'Pas op, straks kom je hier ook te liggen. Die kant op.'

Ja, Jeroen kent de weg.

Als ze een zijgang inslaan, ziet Sigrid meteen haar moeder staan. Een arm in een soort mitella, verkreukelde kleding en wat ze uitstraalt is een en al ontreddering. Ze is in gesprek met twee agenten, een man en een vrouw. Beiden belachelijk jong in de ogen van Sigrid.

'Mama!' Ze laat Jeroen los en vliegt op haar moeder af.

Als ze elkaar omhelzen, kreunt Anja. 'Mijn botjes... Heb je papa kunnen bereiken? Niet? Lieve help. Jeroen! Redder in de nood?'

De ene agent krabbelt nog wat in een opschrijfboekje en even heeft

Sigrid het dwaze gevoel dat ze meespeelt in een film. Een onbeduidend rolletje weliswaar, maar toch. Onwerkelijk.

'Dat was het voorlopig, mevrouw. We verwachten u dus een dezer dagen op het bureau voor ondertekening. U hebt hulp gekregen, geweldig. Dan rest ons niets anders dan u het beste en sterkte toe te wensen.'

Anja staat te beven.

Jeroen neemt de leiding en dirigeert de vrouwen naar een uitbouw in de gang die bedoeld is als wachtkamer. 'Zitten jullie. Dan haal ik koffie. En dan vertel je alles, Anja. Begin maar vast.'

Sigrid en haar moeder zitten hand in hand als Jeroen terugkomt met twee bekertjes die hij op een tafeltje zet. Hij kijkt vragend van de een naar de ander. 'Hoe is 't met het kind gesteld?'

Anja snikt. 'Zo geschrokken... ze was even buiten kennis maar er kwam meteen hulp op gang. De ambulance was er in recordtijd. Wat haar mankeert, weet ik nog niet precies, ze onderzoeken nog van alles. Maar het had... het had veel erger kunnen zijn!'

Jeroen proeft van de koffie, merkt dat deze wat is afgekoeld en houdt het bekertje tegen Anja's mond. Ze drinkt gulzig, verslikt zich, hoest en krijgt weer tranen in haar ogen.

Een verpleegkundige met papieren in de hand loopt op hen af.

'Mevrouw Berkhout, toch? Ja. U kunt nu bij het meisje, ze is bij kennis en vraagt naar u. Als u het kunt opbrengen: word alstublieft niet te emotioneel. Ze doet niets anders dan over haar vader praten, die niet mag weten dat ze een ongeluk heeft gehad. Wat is er met die man aan de hand dat zijn dochter hem zo in bescherming neemt?'

Dat is snel verteld. Ondertussen zijn ze allemaal gaan staan. Sigrid bekijkt haar gehavende moeder. Ze ziet eruit alsof ze van een front komt en zwaar heeft gevochten.

Jeroen neemt de leiding. 'Kom, ik loop mee.'

Sigrid loopt verdwaasd achter de twee aan. Jeroen ondersteunt Anja liefdevol. Wat Sigrid doet denken: nieuw in het theater...

Eveline ziet er deerniswekkend uit. Een verband om het hoofd, een gehavend gezichtje en één arm is zo ingepakt dat het duidelijk is dat deze is gebroken.

'Sigrid, jij ook! Oma... Niets aan papa vertellen...'

Ze sluit haar ogen en even slaat Sigrid de angst om het hart. Het is net of het kind volkomen wegvalt.

Een broeder verschikt wat aan de apparatuur om het bed. 'Ze is erg moe van de medicatie, blijft u vooral niet te lang.'

Jeroen pakt een stoel en gaat zo zitten dat hij niemand in de weg zit. Slechts heel even lukt het Sigrid hem buiten te sluiten. Ze buigt zich over Eveline heen en fluistert haar naam.

'Niet weggaan, Sigrid. Papa mag het niet weten... dan wordt hij ongerust. En hij kan niet lopen!'

Tranen biggelen over de beschadigde huid van haar wangen, dringen in een opengehaald stukje vel.

Sigrid voelt een emotie die nieuw is, aangrijpend ook. Dit kind, dit meisje dat ze zo goed dacht te kennen, heeft trekjes in haar karakter die je bij een volwassene verwacht.

'Ik zorg ervoor dat je papa niet schrikt. Maar, lieve schat, het kan niet anders of hij wil je bezoeken. Ik zal straks vragen wanneer je naar huis mag. Je bent ongetwijfeld erg geschrokken!'

Eveline fluistert: 'Knuffel me eens, Sigrid. Ik ben zo alleen...'

Jeroen zegt op zachte toon dat hij Anja naar huis brengt. 'Ze moet ver zorgd worden. Ze moet volgens mij medicijnen krijgen.'

Sigrid knikt, ze krijgt het niet voor elkaar Jeroen te bedanken terwijl ze toch niet zou weten wat ze zonder zijn hulp had moeten doen.

Een verpleegkundige fluistert in Sigrids oor dat ze het kind niet mag opwinden. 'Heel belangrijk dat ze rustig wordt gehouden. U bent... haar moeder?'

Nee, dat is ze niet. 'Haar ouders zijn gescheiden. Ik zal de vader inlichten.'

Ze moet wachten tot Eveline slaapt. In gedachten oefent Sigrid wat ze moet zeggen. 'Sorry, Thijmen, het gaat goed met Eveline. Alleen heeft ze een ongelukje gehad...'

Ongelukje.

'Thijmen, niet schrikken.'

Ook al fout. Juist als je dat zegt schrikt de ander.

Natuurlijk zal hij meteen uitrukken om Eveline te zien. De logeerpartij is dus een volkomen mislukking geworden, ondanks de goede dagen in het begin ervan.

Net als Sigrid denkt dat Eveline in slaap is gevallen, spert deze haar ogen zo ver mogelijk open. 'Sigrid, niet stiekem weggaan als ik slaap... beloof het!'

Dat is snel beloofd.

Duizend-en-een gedachten schieten door Sigrids hoofd. Ze ontspant zich een beetje zodra ze merkt dat Eveline in slaap is gesukkeld.

Een arts komt poolshoogte nemen. Sigrid grijpt hem bij de punt van zijn witte jas. 'Ik moet de vader inlichten. Wat kan ik zeggen? Hoe is de situatie? Wanneer mag ze naar huis?'

De arts kijkt op van zijn klembord. Hij tuit zijn lippen en leest wat af van de apparatuur.

'Ze heeft geluk gehad, die kleine meid. De vader, is er geen moeder?'

'Gescheiden. Op vakantie.'

Dat is duidelijk.

'We moeten haar hier een dag, misschien langer, ter observatie houden. Positief punt is dat ze lichamelijk niets aan het ongeluk zal overhouden. Hoe ze het verwerkt, is vers twee.'

Sigrid gaat staan. 'Ik ben een kennis van de familie. Veel weet ik niet, maar wél dat ze als baby een slechte start heeft gemaakt. Ze is al op jonge leeftijd geopereerd, en moest lange tijd ontzien worden, maar zolang ik haar ken, is er niets aan de hand.'

De dokter zegt blij te zijn dit te horen. 'Ongetwijfeld zal de vader duidelijker kunnen zijn. Misschien moeten we een en ander meenemen in de observatie. Vraag de vader, als u wilt, zo snel mogelijk contact met ons op te nemen. In het belang van het kind.'

Sigrid knikt. En vraagt zich af hoelang Eveline onder zeil zal blijven. Ze vraagt het aan de arts die de deurknop al in de hand heeft, klaar om naar de volgende patiënt te gaan.

'O, zij slaapt wel een uurtje of wat. De medicatie begint te werken.'

Sigrid maakt de vingertjes van Eveline voorzichtig los van haar eigen hand. Ze loopt naar de deur, vraagt zich af of ze haar mobiel mag gebruiken.

Ze klampt een verpleger aan die knikt, maar die haar toch meeneemt naar een kantoor. 'Daar zit je rustiger. Moeilijk toch, een nare boodschap overbrengen. Sterkte ermee!'

Dat, denkt Sigrid, heb ik hard nodig.

20

GELUIDEN UIT DE GANG DRINGEN BIJNA NIET DOOR IN HET KANTOOR DAT een zakelijke uitstraling heeft. Sigrid laat zich op een bureaustoel zakken, ze plant haar ellebogen op het tafelblad en doet haar handen voor haar gezicht. Het stormt in haar binnenste.

Het ongeluk, mam had wel dood kunnen zijn! Samen met Eveline in één klap weg van de levenden.

Ze begint te trillen en heeft grote moeite haar gedachten te ordenen. Hoe breng je slecht nieuws over?

'Drink dit maar warm op, dat wil nog weleens helpen.' Een verpleegkundige zet een mok koffie voor haar neer. 'Niet uit de automaat, vers gezet in ons afdelingskeukentje. Gaat het een beetje?'

Sigrid kijkt haar met waterige ogen aan. Of het gaat? Nee, helemaal niet.

'Moet ik een nummer voor u opzoeken?'

Daar zegt ze wat. Inderdaad, het nummer van Thijmen kent ze niet uit haar hoofd.

Met de computer is het vlug gevonden. 'Ik laat u nu alleen, maar over een minuut of tien ben ik terug.'

Sigrid drinkt de hete koffie. Ze voelt dat het haar goeddoet, ook al klapperen haar tanden tegen het aardewerk.

Mooi dat Eveline uiteindelijk geheel zal herstellen. Maar wat houdt ze er psychisch aan over? Hoe sterk is het kind? Kan de overbezorgde Thijmen omgaan met dit heftige gebeuren?

Sigrid vermant zich en tikt het nummer van haar ouderlijk huis in. Mam, mam zal weten wat ze moet zeggen.

Het is Jeroen die ze aan de lijn krijgt. 'Ik kom zo snel mogelijk weer bij je, Sigrid. Maar nu moet ik toch even je moeder voorrang geven. Wil je haar even spreken? Ze komt net de kamer binnen, gewassen en schone kleren aan. Ik heb koffie voor haar gezet en je vader hoopt over een kwartier hier te zijn.'

Jeroen, die zich opwerpt als redder in de nood.

'Hier is ze, maak het niet te lang.'

'Mama!'

Een snik. Logisch.

'Lieverd... zo erg, maar het had nog veel erger kunnen zijn. Waarom bel je, het is toch niet slechter met Eveline?'

Sigrid praat niet vlot, ze hakkelt.

'Mam... ik moet Thijmen bellen. Wat... wat kan ik zeggen? Wat als hij... natuurlijk schrikt hij. Kunnen we het niet een dag of wat verzwijgen?'

Anja is weer zo ver zichzelf dat ze moppert. 'Foei! Die man moet het meteen weten. Natuurlijk rust hij niet voor hij haar heeft gezien. Wat je zeggen moet? De waarheid. Daar kun je niet omheen.'

Ze hoort Jeroen op de achtergrond spreken, mam en hij wisselen een paar zinnen, hoort Sigrid.

Een extra complicatie. Jeroen die zich op een gevoelig moment in hun leven dringt.

'Goed, dag mam. Tot straks.'

Sigrid haalt diep adem. Dan, met trillende vingers, tikt ze het nummer van Thijmen in.

Een opgewekte stem. 'Met het huis van Thijmen Schreurs, met Martine.'

Martine, alweer Martine.

Sigrid noemt haar naam. Ze wil niets kwijt aan de zaakwaarneemster van Thijmen. Martine-hoe-ook-weer? Natuurlijk, Martine Winkels.

'Ik zal de telefoon naar Thijmen brengen, hij zit op het terras een pizza te verorberen. Hier is-ie.' Martines stem zingt, stelt Sigrid vast.

'Thijmen hier. Hoe gaat het met mijn prinses?'

Thijmen, je prinses is net aan de dood ontsnapt. Thijmen, nu gaat het goed met Eveline. Thijmen, niet schrikken...

Sigrid schraapt haar keel en hoort zelf dat haar stem raar klinkt. Als die van een onbekende.

'Thijmen...'

Dan, heel rustig, komt de reactie. 'Kalm, Sigrid, vertel het me maar in één keer. Vertel wat er aan de hand is.'

Is hij helderziend, vraagt ze zich een moment af. Of nee, hij kent haar natuurlijk. Hij begrijpt dat ze van streek is.

Logisch denken, dat doet hij.

'Het... het gaat goed met Eveline. Ze laat je groeten. Ik wilde alleen vertellen... ik bel om te vertellen dat mijn moeder mijn wagentje in de prak heeft gereden. Zij en Eveline... ze waren op weg naar een of ander uitje. Mam kwam er met de spreekwoordelijke kleerscheuren vanaf, maar Eveline moet een paar dagen ter observatie in het ziekenhuis blijven. Ze is bij kennis, maar is net in slaap gevallen. Ik blijf natuurlijk bij haar. Ze zei nog dat ik jou niet aan het schrikken mocht maken.'

Zo, het is eruit. De boodschap is overgebracht. Sigrid sluit haar ogen en leunt, doodmoe opeens, achterover tegen de rugleuning.

Ze hoort hoe Thijmen het bericht doorvertelt aan Martine, die nogal heftig reageert. Ze hoort Thijmen zeggen: 'Doe maar, pak maar in wat je denkt dat ik voor een dag of wat nodig zal hebben.' En dan: 'Ben je er nog, Sigrid? Wees eerlijk alsjeblieft. Is het kind in levensgevaar, probeer je de klap te verzachten? Moet ik haar moeder waarschuwen?'

'Thijmen,' zegt Sigrid klaaglijk. 'Ik bén eerlijk. Ik zou niet anders durven. Bel een arts, ik wil er wel eentje aan de lijn proberen te krijgen. Wat zeg je? Je komt hier? Prima, maar Eveline heeft uitdrukkelijk gezegd dat ik je niet aan het schrikken mocht maken. Je... je kunt bij ons thuis slapen.'

Thijmen en Martine blijven met elkaar in gesprek, ondanks de persoon aan de andere kant van de lijn.

'Thijmen? Tot straks dan.'

Sigrid verbreekt de verbinding en blijft zitten tot de verpleegkundige terugkomt. 'En? 't Valt niet mee, hè, slecht nieuws brengen. Maar het kind heeft geluk gehad. Komt de vader?'

Ja, die komt.

'Ga nu lekker naar huis, Eveline is in goede handen.'

Sigrid schudt haar hoofd. 'Ik heb beloofd bij haar te blijven. Ze is zo overgevoelig en ook slim.'

'Jawel, maar of dat verstandig is... Ik zorg dat u een paar boterhammetjes krijgt. Koffie of thee? Koffie, prima. Als ik eerlijk ben, moet ik zeggen dat u er afgetobd uitziet.'

Ze loopt mee naar de kamer waar Eveline ligt.

'Ga maar gauw zitten, daar aan het tafeltje. 'k Ben zo terug.'

Sigrid voelt tranen branden die niet naar buiten willen. Eveline, kleine meid van Thijmen, ze voelt nu pas wat het kind voor haar betekent. Hoeveel ze van het kleine meisje houdt.

Het is net of ze hoogstpersoonlijk Thijmen een zware klap heeft toegediend. Wetend dat dit een onzinnige gedachte is, ervaart ze dit toch als waarheid.

Er wordt een dienblad met brood en koffie gebracht. Sigrid staat op, ze wil even bij Eveline kijken voor ze gaat eten. Als ze het al door haar keel kan krijgen.

Dan zijn er opeens armen om haar heen. Ze schrikt er niet eens van, want ze voelen vertrouwd.

Jeroen. Alsof hij definitief terug is in haar leven. Of ze het wil of niet.

'Kom, eerst wat eten. Eveline slaapt nog, dat doet haar goed, toch? Eet wat, dan ben je er straks voor haar.'

Sigrid laat zich op de stoel duwen. Ze drinkt van de hete koffie en hapt van een boterham die wonderwel smaakt. Eten, terwijl ze denkt ook lichamelijk vol te zitten met vrees en nog eens vrees.

Jeroen gaat op de punt van het tafeltje zitten, hij pikt een stukje brood mee.

'Je vader is thuis. Over je moeder hoef jij je geen zorgen meer te maken. Het is duidelijk dat het ongeluk haar is overkomen, ze had geen schuld. Dat zal de vader van het kind ook moeten accepteren. Je hebt van die mensen... sommigen blijven een schuldige zoeken en wijzen met een vinger naar degene die het dichtst in de buurt was. Je moeder in dit geval. We praten het haar wel uit het hoofd.'

'We.' Sigrid kijkt op. Zit ze hier heus met Jeroen te praten alsof het koek en ei tussen hen is?

Op het moment dat ze haar bord leeg heeft, ontwaakt Eveline.

'Sigrid... o, ik was vergeten dat ik in het ziekenhuis ben. Mag ik met je mee naar huis?' Ze probeert overeind te komen.

Sigrid schiet op haar af. 'Liggen blijven, lieverd. Even wachten tot er een dokter is geweest, dan vragen we hem het hemd van het lijf. Zie je het al gebeuren?'

Eveline begint te giechelen en Sigrid denkt: zoiets heerlijks heb ik zelden gehoord.

'Is dat dan geen dokter? O nee, hij heeft geen witte jas.'

Sigrid ziet dat Eveline Jeroen met belangstelling gadeslaat. Jeroen kennende, haast Sigrid zich te vertellen dat hij een oude kennis is. Jeroen kucht veelbetekenend.

'Even wat anders: ik heb je papa gebeld en geloof maar dat hij zijn best doet zo snel mogelijk hier te komen.'

Eveline kijkt niet blij maar bezorgd. 'Ach... dat betekent dat hij erg ongerust is. En hij heeft al zo veel aan zijn hoofd. Hoe moet dat dan? Autorijden gaat nog niet. Dus moet iemand hem brengen. Misschien Martine Winkels wel.'

'Wie weet. Ik blijf hier tot papa er is. Dan zien we wel verder. Wil je rusten?'

Genoeg gerust, beweert het kind dat er duidelijk beter aan toe is dan een uurtje geleden.

Een verpleegkundige komt poolshoogte nemen en informeert of Eveline wat wil eten. 'Een boterham met kaas?'

Sigrid zou graag naar huis gaan, haar moeder bijstaan. Maar in dit geval gaat Eveline toch voor. Ze rekent uit wanneer ze Thijmen kan verwachten. Dat kan niet lang meer duren.

Jeroen maakt geen aanstalten te vertrekken, ook al geeft Sigrid hem geregeld een hint.

'Mij raak je niet zomaar kwijt, lieverd. Ik ben hier om jullie bij te staan. Eveline, kan ik wat voor je in het winkeltje beneden halen? Een boek, wat lekkers, noem maar op. Eerlijk gezegd ben ik niet op de hoogte wat kleine meisjes leuk vinden. Wat betreft grote meisjes ben ik beter op de hoogte.'

Sigrid kan niet op tijd wegduiken en ondergaat de omhelzing van Jeroen gelaten.

'Ooh!' reageert Eveline. En dan: 'Eh... ik wil wel een tijdschrift hebben. In het winkeltje weten ze wel wat ik bedoel. En een puzzelboekje, maar niet een voor grote mensen. Die zijn nog te moeilijk. Als ze dat niet hebben, dan graag een schetsboek en een potlood.'

Jeroen is al weg. 'Prinses, uw wens is mij een bevel.'

Eveline giechelt, maar Sigrid ergert zich. Zelfs kleine meisjes weet hij om zijn ervaren vinger te winden.

Sigrid is blij dat Eveline weer praatjes krijgt. 'Het is weer net als vroeger, toen ik vaak in het ziekenhuis heb gelegen. Mijn mama had er een hekel aan, ze kan niet goed tegen de luchtjes, zegt ze. En nu is ze met een chirurg getrouwd! Maar ja, ze hoeft natuurlijk niet met hem mee naar zijn werk. Sigrid, ik vind Jeroen best aardig. Ga je met hem trouwen?'

Sigrid verschiet van kleur.

'Dat denk ik toch niet. Ik ben veel te tevreden met mijn leven zoals het nu is. En dan zeg ik: vrijheid, blijheid!'

Jeroen laat hen niet lang wachten. Ze horen vrij snel gestommel bij de deur die traag opengaat. Het eerste wat Eveline en Sigrid zien is Thijmen, die in een rolstoel voortgeduwd wordt. Door – hoe kan het anders – Martine Winkels. En achter Martine Jeroen, die straalt van oor tot oor.

'Zo, Sigrid, schatje, nu zijn we hier duidelijk te veel! Denk je ook niet?'

Eveline strekt haar dunne armen uit naar haar vader. 'Papa! Wat ben je gauw gekomen en je bent toch niet te erg geschrokken? Het komt allemaal goed. Ik ben hier – hoe heet het ook weer, Sigrid? – ter wat?'

Sigrid zegt schor: 'Observatie. Zo heet dat.'

Thijmen kijkt Sigrid door zijn bijna dichtgeknepen ogen aan. 'Zo!'

Jeroen legt een plastic tasje op het bed. 'Uw bestelling, prinses.'

Eveline krijgt blosjes en Sigrid vreest dat ze koorts begint te krijgen. Martine houdt zich op afstand, ze gluurt af en toe opzij naar Jeroen die een arm om Sigrid heen legt op een manier die niets te raden overlaat.

'Wij hebben ook van alles voor je meegebracht.' Thijmen steekt een hand uit naar Martine, die hem een tasje van de boekhandel overhandigt.

'Raden... natuurlijk boeken!'

Jeroen duwt Sigrid richting deur. 'Ze willen alleen zijn met het kind, Sigrid.'

Maar zo laat ze zich niet afvoeren. 'Luister, Thijmen, je zult bij Eveline in de buurt willen zijn, de komende dagen en je kunt bij ons thuis logeren. In het bed van Eveline, bijvoorbeeld.'

Martine bemoeit zich er ook mee.

'Dan kan ik naar huis, want iemand moet de winkel openhouden. Thijmen, één belletje en ik ben terug.'

Ze zoent Eveline, die zich terugtrekt in het kussen. Thijmen krijgt ook een omhelzing, wat Sigrid doet denken: zijn we al zo ver...

'Dag kleintje, misschien kom ik nog weer een keer mee met Sigrid.'

Jeroen drukt de hand van Thijmen, en die van Martine. 'Schatje...' Dit naar Sigrid.

Die duikt weg van hem en haast zich de deur uit. 'Morgen ben ik er weer, Eveline.'

Eenmaal in de gang zet Sigrid de pas erin. Ze ergert zich aan het gedrag van Jeroen. Hij heeft de mensen in de ziekenkamer op het verkeerde been gezet.

Zwijgend leggen ze de afstand naar het huis van Anja en Frits af. 'Helaas, Sigrid, ik zou je vanavond graag gezelschap houden, maar ik heb een vergadering. Morgen zie je me weer.'

Sigrid stapt voor de deur van haar ouders' huis uit. 'Dat hoeft niet, Jeroen. Ik ben je dankbaar voor je hulp. Echt waar, je was een redder in de nood, maar nu kan ik het wel weer alleen af.'

Ze hoopt dat ze overtuigend klinkt, maar niets is minder waar.

Jeroen lacht haar uit, knipoogt en geeft gas.

Sigrid kijkt hem knarsetandend na.

Ai, haar autootje. De plaats waar hij geparkeerd stond, is leeg. Dat doet toch even pijn.

'Hoe was het?'

Frits loopt met wijd geopende armen op zijn dochter toe en houdt haar stevig tegen zich aan.

'Papa...' Sigrid kan de opgekropte tranen niet langer bedwingen. 'Pap... waarom toch? Hoe is het met mam? Ik moet er niet aan denken wat er had kunnen gebeuren!'

Frits zegt dat Anja slaapt. 'Met hulp van een pilletje. Ik heb de dokter gevraagd langs te komen, vandaar. Bij haar is het voornamelijk de schrik. Dat gaat wel weer over, maar ze schaamt zich dat ze het kind in gevaar heeft gebracht. Het is niet anders. Overmacht, zullen we maar zeggen.'

Hij voert haar naar binnen en het eerste wat Sigrid in de kamer opvalt, is het overdreven boeket van Jeroen.

'Ik maak een kopje koffie voor ons en dan, lieverd, moet jij ook maar zo'n toverpilletje nemen. Lekker slapen doet wonderen.'

Sigrid loopt achter haar vader aan naar de keuken.

'Pap, de vader van Eveline is er al. Hij moet ergens overnachten en ik heb hem het bed van Eveline aangeboden. De man heeft een gebroken been en zal zelfs hulp nodig hebben om de trap op te komen.'

Zittend op een kruk in de keuken kijkt Sigrid toe als haar vader de voorbereidselen treft hen van koffie te voorzien. 'Dat is goed. Hij kan ook beneden op de bank slapen. Dan hoeft hij niet te klauteren. Was de man erg geschrokken?'

Sigrid legt uit wat de reden van Thijmens overbezorgdheid is. 'Dat komt van vroeger.'

Ze beseft dat haar moeder weet van Evelines ziekteverleden, maar haar vader heeft ze nooit echt betrokken in haar verhalen.

Met de koffie plus koek gaan ze in de kamer zitten. Nogmaals laten ze het gebeurde de revue passeren. 'Die vader, Thijmen zei je, zal mama toch niets verwijten? Het was echt wat mam betreft een ongeluk, ze kon niets anders dan zijwaarts uitwijken. Achteraf bezien is het toch wonderbaarlijk goed afgelopen.'

Eerder dan verwacht rijdt de auto van Thijmen voor, met Martine achter het stuur. Sigrid laat het ontvangen aan haar vader over. Martine haalt een weekendtas uit de kofferbak en neemt afscheid van Thijmen. Gelukkig, vindt Sigrid, ze gaat niet mee naar binnen.

Steunend op een kruk hobbelt Thijmen de gang in. Sigrid zou hem willen omhelzen, maar ze beheerst zich. Alsof Martine onzichtbaar tussen hen staat.

Maar er is nog wat. Thijmen lijkt haar niet te zien en als hij dat wel doet, is hij een en al afwijzing.

'Ga toch in de kamer zitten. Papa kan je alles vertellen wat je wilt weten.'

Als Thijmen op de bank is geïnstalleerd, slaakt hij een zucht. 'Mensen, wat een dag. Ja, ik wil alles tot in detail horen. Dan denk je dat je je kind tot het uiterste beschermt tegen wat dan ook, en dan gebeurt zoiets!'

Frits zet een kopje koffie voor hem neer, binnen handbereik.

'Kerel, ik weet wat je bedoelt. Mijn vrouw Anja en ik hebben er ook maar eentje, die dame daar. Kostbaarder dan wat dan ook in de wereld.'

Sigrid voelt zich ongemakkelijk en informeert of Thijmen een arts te pakken heeft kunnen krijgen. Hij kijkt langs haar heen als hij antwoord geeft.

'Die ik hebben wilde, had natuurlijk geen dienst. Maar voor morgen heb ik een afspraak. Halfelf. Dan hoop ik de details te horen. Het ziet er niet slecht uit, een verpleegkundige zei te verwachten dat Eveline snel wordt ontslagen. Het arme kind is vertrouwd met het liggen in een ziekenhuis...'

Thijmen drinkt geconcentreerd van zijn koffie. Zo lijkt het. Sigrid beseft dat ze goud gaf voor een glimlachje van hem en die aparte uitdrukking in zijn blauwe ogen.

'Moet Karen gewaarschuwd worden?' informeert ze.

Thijmen haalt zijn schouders op. 'Ze is op vakantie. Die zal ze niet willen onderbreken. Bovendien háát ze ziekenhuizen. Daar hebben we destijds de nodige woorden over gehad.'

Frist voelt aan dat er een spanning tussen de andere twee is die hij niet kan plaatsen. Ander onderwerp dus...

'Hoe kwam Jeroen in beeld, Sigrid? Het was een gelukje voor je dat hij hier was, zodat je meteen na het bericht gehoord te hebben naar het ziekenhuis kon.'

'Toeval.' Sigrid zegt het op een toon alsof het over een passant op straat gaat. Dan staat ze op. 'Ik ga even kijken of mam nog in diepe rust is. Eh... Thijmen, waar wil je slapen? Boven in het bed van Eveline of op de bank, zodat je de trap niet op hoeft? Je kunt je dan in de keuken wassen, alleen is dat natuurlijk niet zo handig...'

Thijmen knikt naar Frits. 'Als mijn gastheer een handje helpt, dan lukt het wel boven te komen. Ik vrees dat mijn lichaam te fors is voor deze beschaafde bank.'

Frits grinnikt en zegt aan een biertje toe te zijn. Kan hij Thijmen daar ook blij mee maken?

Thijmen bekent nog geen avondeten gehad te hebben en aangezien zijn maag hoorbaar knort, zou hij graag 'vulling' willen hebben, als het niet te veel is gevraagd.

Frits biedt aan langs de patatboer te gaan, maar Thijmen zegt dat een boterham voldoende is.

Sigrid haast zich naar de keuken. Er is nog soep, die is in een mum van tijd warm. Broodjes, die vindt ze ook nog.

Haar gedachten zijn op hol geslagen. Thijmen, Jeroen. Jeroen, Thijmen en Eveline. Martine, Eveline, Thijmen.

Ze schudt verwoed met haar hoofd.

Toch pap straks maar om zo'n pilletje vragen!

Boven gekomen vindt ze haar moeder in diepe rust. In de logeerkamer kijkt ze onthutst rond. Dáár, de dozen met uitzetspullen. Opge-stapeld in een hoek.

Ze haalt het onderlaken van het bed, trekt de hoes van het dekbed. Niet dat Thijmen vertoeven in het bed waarin zijn kind heeft geslapen onprettig zou vinden, maar het geeft haar wat te doen.

Zeker weten dat Jeroen hem op het verkeerde been heeft gezet. Dat is punt één dat ze uit de wereld wil hebben. Niet dat het Thijmen wat kan schelen, Sigrid had de indruk dat Martine en hij meer dan vriendschappelijk met elkaar omgaan. En dat in zo'n korte tijd... Misschien een geval van 'liefde op het eerste gezicht'.

Ze schudt het dekbed op, er vliegen een paar veertjes in de rondte. Ze stopt even haar gezicht in het kussen voor ze het op de juiste plek legt. Thijmen... hij is nog dezelfde man van gisteren, eergisteren, een half-jaar terug. En toch... ook weer niet.

Haar hart bonkt van teleurstelling. Hoe heeft het kunnen gebeuren dat ze de waarheid niet zág of wilde zien?

Het is niet anders.

Ze heeft meer fouten gemaakt in haar jonge leven. Wie niet? Bijvoorbeeld de relatie met Jeroen. Een tijd terug dacht ze niet zonder hem te kunnen leven. Wat zou ze toen niet gedaan hebben voor die arm om haar heen!

En nu...

Sigrid snikt, maar ze vermant zich. Nog een stomp op het kussen en dan rept ze zich geluidloos naar beneden. Ze vraagt of Thijmen nog iets nodig heeft, tandenborstel, tandpasta, om maar wat te noemen.

Ze vindt in de kamer twee ontspannen mannen die het goed met elkaar kunnen vinden, zo komt het op haar over. Ze valt haar vader in de rede. 'Sorry, pap, ik wil wel een pilletje van je. En Thijmen, ik zag een weekendtas. Heb je meegenomen wat je nodig hebt voor de nacht? En pap, help jij Thijmen naar boven? Eh... welterusten dan maar.'

Ze krijgt van haar vader een doosje waarin nog een paar tabletjes zitten. Ze rammelt ermee, kijkt besluiteloos de kamer rond. Die ellendige bloemen. Ze kunnen er ook niets aan doen. Weggooien is een belediging aan de Schepper, vindt ze opeens.

'Ga jij maar lekker slapen, lieve kind. Ik zorg dat Thijmen alles krijgt wat nodig is voor de nacht. Slaap ze.'

Thijmen wuift met een hand en kijkt haar zo onverschillig aan, dat het is of ze een klap in haar gezicht krijgt.

Naar boven, en snel ook. Verstand op nul, gevoel eronder, als het zou kunnen. Morgen is er weer een dag en wie weet doet ze dankzij de medicatie nieuwe kracht op om alles wat er op haar af komt, aan te kunnen!

21

SIGRID DOET IN HET BEGIN VAN DIE NACHT LETTERLIJK GEEN OOG DICHT.
Haar gedachten tollen door haar hoofd. Het lijken wel gevallen bladeren die door een storm rondgejaagd worden.

Jeroen, die zich gedraagt alsof ze weer een stel zijn.

Wil ze dat? Ze was toch wat je noemt 'klaar' met hem? Waarom dan die verwarring? Zeker weten dat hij aan Thijmen heeft laten doorschemeren dat ze weer samen zijn.

Is er dan een mogelijkheid? Als het aan Jeroen ligt, wel. Sigrid is onzeker. Als ze ja zegt, gaat het een paar maanden goed. Beter dan ooit, waarschijnlijk. Maar dan? Is Jeroen echt veranderd, volwassen geworden, minder egoïstisch? Klaar voor het huwelijk, echtgenoot zijn, misschien vader? Jeroen als vader voor haar kinderen...

Ooit leek het een droomwens.

En nu?

Als Sigrid op de gang geluiden hoort, spitst ze haar oren. Thijmen die het toilet opzoekt, begrijpt ze even later. Thijmen, de man die haar als moeder voor Eveline wenste. Is dat nog zo? Of heeft hij in die Martine een betere kandidaat gevonden?

Wat doet dit met haar?

Dan merkt Sigrid dat ze huilt. Onbedaarlijk, geluidloos, haar gezicht in het kussen gedrukt. Ze zou op blote voeten de kamer uit willen rennen, en Thijmen met haar vragen confronteren.

Thijmen, die vergeleken met Dennis en Lars saai is. En naast Willem Beker zou je hem burgerlijk kunnen noemen. Zet je daarentegen Jeroen naast hem...

Een nieuwe huilbui.

Eindelijk wordt Sigrid zo moe, dat ze in slaap zakt. En bij het wakker worden voelt ze zich zoals ze denkt dat iemand die een kater heeft, eraan toe is...

Als ze beneden komt, zitten haar ouders met Thijmen aan het ontbijt.

'Jij hebt lekker uitgeslapen,' stelt haar vader vast terwijl hij een kopje thee inschenkt.

Sigrid kijkt het kringetje rond. Ze knikt.

'Thijmen heeft al met het ziekenhuis gebeld. Eveline heeft ook prima geslapen, ze heeft praatjes voor tien en wil maar één ding: naar huis!'

Thijmen besmeert een boterham en kijkt Sigrid vluchtig aan. 'Zo is het.'

Het blijkt dat Anja er een stuk beter aan toe is dan de dag ervoor. Straks moet ze naar het politiebureau om haar verklaring te ondertekenen.

'En Sigrid, dan moeten we op pad om voor jou een nieuwe auto te kopen. We maken er een uitstapje van. Wil je dat Jeroen ook meegaat?'

Sigrid laat haar mes vallen, het is of ze verstijft. 'Jeroen?' zegt ze zwakjes.

Dan rinkelt het mobieltje van Thijmen. Hij verontschuldigt zich, noemt zijn naam. 'Ah, Martine. Zeg het eens...'

Martine heeft een klein probleem met een klant. Thijmen vertelt wat ze wel en wat ze niet moet doen. Als Martine naar Eveline vraagt, laat hij weten dat ze na het ontbijt naar het ziekenhuis gaan om de behandelend arts te spreken. 'Ik bel je later wel.'

Sigrid kijkt tersluiks naar Thijmen. De man die ze waar mogelijk heeft ontlopen. En nu? Nu zou ze het liefst toenadering zoeken. Zijn aandacht willen.

'Daar komt Jeroen aan.'

De stem van haar vader doet haar schrikken. Haar eerste reactie is om naar boven te rennen, zich als een kind verstoppen. Desnoods onder het bed.

'Ik...'

Anja is al opgestaan om hem binnen te laten. Jeroen ziet er uitgerust uit. Hij is vlot gekleed, zoals gewoonlijk. Hij gaat achter de stoel staan waar Sigrid op zit, legt zijn handen in een vertrouwelijk gebaar op haar schouders, en kust haar op de kruin van haar hoofd.

'Jij hebt een slechte nacht gehad, schatje.'

Sigrid wil hem afschudden. Het is duidelijk dat er gepraat moet worden. Gisteren, ja, toen liet Jeroen zich van zijn aller-, allerbeste kant zien. Maar dat wil nog niet zeggen dat...o, was ze maar zekerder van zichzelf!

Thijmen is inmiddels gaan staan. 'Ik ga naar het ziekenhuis. En ik neem graag het aanbod aan om net zo lang als het nodig is voor Eveline, hier te blijven. Geweldig dat dit mogelijk is!'

'En wij gaan naar het politiebureau. Kom, Anja, dan ruimen we de boel op. Hoe eerder we het achter ons hebben, hoe beter.'

Sigrid schudt Jeroen letterlijk van zich af.

'Ik ruim de boel op. En jij, Jeroen, jij zult toch naar je werk moeten, neem ik aan?'

Jeroen pakt een stoel en gaat daar schrijlings op zitten, de armen gevouwen op de rugleuning. 'Ik heb vrij genomen, schatje, om jou bij te staan.'

Sigrid stapelt de ontbijtbordjes met veel kabaal op elkaar. 'Nergens voor nodig. Bedankt voor de moeite.'

Als Sigrid de vaat in de machine zet, loopt Anja achter haar dochter aan. 'Lieverd, wat moeten wij nu denken? Wat is dat met Jeroen? Gisteren leek het of jullie weer een stel waren, maar nu weet ik het niet meer. Of wil je er niet over praten?'

Sigrid slaat de deur van de vaatwasser met een klap dicht. Dan legt ze haar hoofd op haar moeders schouder. 'Ik weet het niet meer, mam. Echt niet. Hij stond opeens met die bloemen voor mijn neus. Met de vraag... nou ja, je snapt het al. Ik was zo in de war. En toen kregen we bericht van het ongeluk. Jeroen heeft me geweldig geholpen. De rest weet je. Maar om nu te doen of het koek en ei tussen ons is... Ik ben nu veel te veel van streek om besluiten te nemen.'

'Klaar, Anja? Kunnen we?'

Anja en Sigrid laten elkaar los. 'En Thijmen?'

Frits zegt langs zijn neus weg dat Jeroen Thijmen naar het ziekenhuis brengt. Ze horen de voordeur dichtslaan.

'Niet goed?' informeert Frits. Hij kijkt vrouw en dochter om beurten aan.

Sigrid schokschoudert.

'Ik ga mee naar het bureau. Zullen we daarna op autojacht gaan? Wat doet de verzekering?'

Even later rijden ze weg, richting politiebureau.

Een zo goed als nieuw autootje is snel gevonden. Sigrid verbaast zich dat ze zo enthousiast kan zijn terwijl haar hoofd vol is met andere zaken.

'Zo, nu voel ik me een stuk minder schuldig. We gaan ergens lunchen en dan duiken we een winkel in om voor Eveline wat leuks te kopen. Help je ons kiezen, Sigrid? Jij kent het kind.'

Het wordt na veel wikken en wegen een schildersezel met toebehoren. Karen is de belofte er eentje te sturen niet nagekomen. Sigrid staat erop een aandeel te betalen. 'Dat voelt gewoon goed. Het kind is echt artistiek aangelegd. Stimulans, dat heeft ze nodig.'

Het is een behoorlijk gesjouw om het cadeau mee te nemen als ze het ziekenhuis in gaan. 'Gelukkig dat er liften zijn,' vindt Anja.

Beide vrouwen torsen een grote plastic tas. Kwasten, acrylverf, voorbeeldboeken, een palet. 'Straks kunnen we het zo weer meenemen, mam. Want in het ziekenhuis heeft ze er toch niets aan. Ik ben benieuwd wanneer ze naar huis mag. Tegenwoordig ontslaat men de patiënten gauw.'

Sigrid spiedt nerveus rond. Het zou echt iets voor Jeroen zijn om hen hier op te wachten. Maar nee, alleen Thijmen zit aan het bed van Eveline.

Het kind heeft weer praatjes, haar kleur is normaal en ze roept luid en duidelijk nergens last van te hebben.

Thijmen lijkt ontspannen.

Eveline is enthousiast over het cadeau. 'Nu kan ik oefenen om pony's te schilderen. Echt te schilderen, niet zomaar in een schetsblok. Ik ben er zo blij mee!'

Anja informeert hoe de pony wel mag heten. Sigrid en Eveline wisselen een blik van verstandhouding.

'Soms Beauty, soms Bonnie, maar ik denk... ik denk dat het toch voorgoed Star wordt. Ze zal even moeten wennen aan die a in plaats van al de o's!'

Thijmen grijnst. 'Het beest luistert naar alle namen, als ze maar geroepen wordt en een halve appel krijgt. Of een suikerklontje.'

Dan komt Thijmen met het goede nieuws: Eveline mag morgen naar huis. 'Mits ze kalm aan doet en goed verzorgd wordt.'

Wat Anja doet roepen: 'Dan logeren jullie toch nog even bij ons? Dan kan ik wat goedmaken... We improviseren wel een bed.'

Sigrid krijgt het benauwd. Onder één dak met Thijmen. Vannacht was het haar al te veel.

'Mijn vakantie zit er toch zo goed als op. Dennis en Lars willen door en hebben alweer nieuwe liederen op het programma. En we hebben een vrouw leren kennen die mij kan opvolgen. Want echt, ik ben van huis uit geen zangeres en eigenlijk wordt het me allemaal te veel.'

Alom verbazing. Ook Thijmen lijkt ervan op te kijken. Maar hij vraagt niets.

Sigrid wuift de vragen weg.

'Zullen we dan maar naar huis gaan? Morgen is mijn nieuwe wagentje klaar. Dan kan ik hem gelijk inwijden, toch?'

Ze nemen afscheid van Eveline, die smeekt of Sigrid nog een paar dagen wil blijven.

'Joh, we spreken gewoon af dat jij nog eens bij mijn ouders komt logeren. Hoe lijkt je dat? En dan spreken we af dat we geen brokken maken.'

Na twee dagen blijkt dat Eveline geboft heeft: ze is zonder al te erge verwondingen van het ongeluk af gekomen. Ze moet een dag of wat rustig aan doen, dat wel. Maar niets duidt op een hersenschudding.

'Dan heb ik wat te vertellen, als de school weer begint.'

Thijmen weet niet wat hij uit de kast moet halen om Eveline te behagen. Het blijkt dat Anja hem goed aanvoelt. 'Thijmen, je bent een vader uit duizenden, vind ik. Maar af en toe moet je wat je dochter betreft op de rem gaan staan. Je omringt het kind niet alleen met liefde, maar ook met wat anders, dat ik niet een-twee-drie kan omschrijven. Het is iets wat maakt dat het kind jóú gaat ontzien. Papa mag niet schrikken, papa mag niet om mij in de angst zitten, ga zo maar door.'

Thijmen schrikt van die kritiek. En nee, boos worden doet hij niet. Want iemand anders kan toch meer inzicht en ervaring hebben dan hij, ongeacht over welk onderwerp het gaat?

'Je wilt het te goed doen. Fouten? Welke ouder maakt ze niet? Ook jij mag hier en daar best een steekje laten vallen. Maar gun het kind vrijheid, geef haar de kans het leven te ontdekken en laat haar haar eigen fouten maken.'

Anja is het ook die hem ervan overtuigt dat hij Karen moet inlichten. 'Hoe jullie ook met elkaar omgaan, Thijmen, ze blíjft de moeder van Eveline.'

Onder het dak van het echtpaar Berkhout komt Thijmen tot rust. Het verbaast hem zeer. En als hem gevraagd wordt nog een dag of wat te blijven, aarzelt hij geen seconde. Graag.

Op het bed van Sigrid wordt schoon beddengoed gelegd, Thijmen kan er zó in stappen en Eveline kan weer in de logeerkamer.

Sigrid is gelukkig met haar nieuwe wagentje dat wat luxer is uitgevoerd dan het vorige. Airbag, centrale deurvergrendeling en ook nog eens airco.

'Zul je heel voorzichtig zijn?' smeekt haar moeder als ze instapt.

'Mag ik lachen, mam? Ik heb net als jij een regiment beschermengelen op het dak zitten.'

Weg van thuis, weg van Thijmen. Terug naar de caravan, waar ze de tijd gaat nemen om grondig na te denken over de toekomst.

Dat laatste valt niet mee, want zodra Lars en Dennis horen dat Sigrid terug is, overvallen ze haar met hun nieuwe repertoire.

'En dat terwijl ik... we zouden toch over Annelies Bussink nadenken? Ik ben niet in de wieg gelegd voor een muziekcarrière. Per slot van rekening is mijn stem alleen maar een aanvulling op die van jullie. Het was enig om te doen, echt waar. Ik heb ervan genoten, maar meer zit er niet in. Bovendien vind ik de optredens slopend. Altijd laat op pad, afwachten hoe de zaal reageert, dat soort dingen. Meestal ben ik de volgende dag gesloopt en niet in staat mijn werk in de opvang goed te doen.'

Lars en Dennis, ze weten beiden dat de stem van Sigrid er een is van dertien in een dozijn. Prima geluid, maar geen uitschieter.

'Met Annelies kunnen jullie meer. Ze is prima als solozangeres. Probeer het maar eens uit. Zeker weten dat ze dolblij zal zijn met het verzoek om op proef te komen werken.'

Het kost wat moeite, maar het lukt haar om de mannen te overtuigen. Sigrid merkt dat er meer in het spel is. Ze voelt dat beiden graag de relatie op een ander vlak zouden willen voortzetten, maar, hoe vleiend dat ook voor haar is, het spreekt haar niet aan. Dit tot teleurstelling van tante Ada, die droomde van een groots huwelijksfeest. Sigrid en Lars, dat was haar uit de hand gelopen fantasie.

Susan lijkt beter in haar vel te zitten, dankzij de hulp van de altijd opgewekte Annelies. Volgens Susan zijn ze meer vriendinnen dan hulpverlener en cliënt.

Het blijkt dat er een schoonmaakploeg is ingehuurd om tijdens de vakantie de crèche en het speelleerlokaal grondig schoon te maken. 'Jij weet nog niet, Sigrid, aan welke eisen wij allemaal moeten voldoen en de controle is niet mis. Prima, zo hoort het ook. Maar we mogen geen steken laten vallen.'

Nee, de hulp van Sigrid is daar niet voor nodig. 'Wij lopen de echte schoonmakers toch maar voor de voeten. Geniet nog even van je vrije dagen.'

En dat wil Sigrid liever dan wat dan ook. Er is zo veel om over na te denken...

In de eerste plaats Jeroen, die mensen zoals haar ouders en zeker Thijmen op het verkeerde been heeft gezet. Die hun voorgespeeld heeft dat het tussen hem en Sigrid weer rozengeur en maneschijn is.

Nachtenlang ligt Sigrid er wakker van. Hoe kan een mens zo veranderen, een mening laten voor wat het is en een ander inzicht koesteren dan de waarheid? Wat is de waarheid en... waarom is het zo moeilijk om uit te vinden wat ze werkelijk wil? Jeroen terug?

Haar verstand zegt luid en duidelijk néé! Ze kent hem toch, zijn karakter is niet veranderd. Ze weet dat hij van alles in huis heeft om een ander van zijn mening te overtuigen. Hij is als een goed verkoper die zijn waar presenteert. Maar ze moet verder kijken, inzien dat een toekomst met hem buiten vluchtig geluk, ook spanning en afwijzing met zich mee zal brengen.

Alleen dat gevoel... een klein stemmetje in haar hoofd blijft roepen dat ze gewonnen heeft, terug kan krijgen wat ze verloor.

En dan is er Thijmen, die nog maar kortgeleden niets liever wilde dan haar tot moeder van Eveline bombarderen.

Haar reactie was weglopen van hem, hem ontwijken, negeren en wat al niet meer. Zij, Sigrid, moeder van het kind van een ander?

En nu... nu verwijt ze zichzelf dat ze niet goed heeft nagedacht door Thijmen af te wijzen.

Het is Susan die ontdekt dat Sigrid loopt te tobben. 'Meid, de baby groeit als kool en dat vind ik geweldig. Hij is beter te hanteren, en dan bedoel ik dat letterlijk. Lekker stevig wordt hij, ik ben niet meer zo bang hem te laten vallen en dankzij de hulp van Annelies hang ik ook niet meer constant boven de wieg om te luisteren of hij nog wel ademt. Ik kan het meer en meer loslaten. Weet je, mijn geloof helpt me daarbij. Sigrid, ik geniet nu pas van mijn zoon!'

Ze zitten samen op een bank achter de opvang. De speeltoestellen zijn gecontroleerd, waar nodig is opnieuw geverfd. Alles ziet er spic en span uit.

Verderop is er veel bedrijvigheid. Arjen heeft geregeld groepen bezoekers die het fijne willen weten over het hedendaagse boeren. De afdeling groenteteelt is uitgebreid, vanwege de vraag.

Sinds kort is een ervaren kaasmaker in vaste dienst genomen en de bedoeling is om kaasjes vanuit huis te verkopen.

'Wie weet wordt onze zoon een kanjer van een bioboer!' straalt Susan.

'Ja, Arjen en ik hebben veel geluk. Alles gaat naar wens. Maar jij, lieve

Sigrid, kijkt dof uit je ogen en je huid is vaal alsof je nooit meer in de zon zit. Kom op, vertel het me. Ik kan zwijgen, dat weet je. Maar ik kan niet verdragen dat je zo... zo triest bent. Zo ken ik je namelijk niet.'

Ze legt een arm rond Sigrids schouders en trekt haar tegen zich aan. Dit lieve gebaar is Sigrid net te veel. De sluizen breken.

Natuurlijk is ze geschrokken van het ongeluk dat haar moeder en Eveline is overkomen. 'Dat ken ik toch, Sigrid. Het leven is broos... dat hebben we allemaal al weleens ervaren. Maar jij, je klautert niet over de schrik heen, hoe kan het dat jij ermee blijft zitten?'

Dan komt het eruit: de onverwachte houding van Jeroen. Susan luistert en trekt haar conclusie.

'Dus hij zou veranderd zijn. Hij heeft spijt van de beslissing de relatie, vlak voor het huwelijk, afgekapt te hebben. Wat voor vent is hij eigenlijk? Ik zie hem als een kind dat een stuk speelgoed van zich af gooit. Uitgespeeld. En als een ander er wel mee wil spelen en het waardeert, dan wordt hij jaloers en wil het terug. Voor hoelang? Zie ik het goed?'

Sigrid snottert, ze veegt met een zakdoek die te klein lijkt, langs haar ogen.

'Mijn verstand roept dat je gelijk hebt. Maar zijn charme... de lieve woorden... het overvalt me zo. Terwijl ik weet dat we niet echt bij elkaar passen. De manier waarop hij zijn bejaarde ouders bejegende, daar heb ik geen goed woord voor over. Hij zegt zich vergist te hebben, zijn jeugdliefde hoort waar ze vandaan kwam, bij zijn jongere jaren. En ik, ik zou juist...'

Susan zegt dat Sigrid afstand moet nemen. 'Waarom ga je er niet even tussenuit? Weg van hier, een weekje vakantie zodat je in alle rust jezelf kunt terugvinden? Jammer dat Thijmen en Eveline bij je ouders logeren, anders zou je daar fijn terechtkunnen. Doe het, boek een reisje van een week, een dag of tien. Het is nog volop zomer! Het doet me pijn je zo verdrietig te zien.'

Sigrid aarzelt. Vakantie. Er even tussenuit. Waar tussenuit dan? Weg van de gedachten lukt toch niet, want die reizen mee in een onzichtbare koffer. Het is nog steeds hoogseizoen. Zin in een verre reis heel alleen, dat hoeft echt niet. Zo hoog is de nood toch niet? Maar even weg van alles en iedereen, ergens, waar dan ook, nadenken over wat haar te doen staat.

'Het is een idee. Kon ik de stacaravan dan maar achter mijn nieuwe autootje meeslepen.'

Dan komt Annelies bij hen zitten. Het is duidelijk dat ze wil praten, iets vertellen. Ze straalt het uit. Maar ze wacht daarmee als ze de laatst gesproken zinnen opvangt. 'Hoor ik het woord vakantie? Ik zou haast willen zeggen, neem me mee!'

Sigrid lacht haar uit. 'Ik ben momenteel echt geen prettig gezelschap.'

'Nou, als ik juffrouw Berkhout zo hoor... jij bent volgens haar de top.'

Zo voelt Sigrid zich echt niet. 'Ik wil wel een paar dagen weg, maar waarheen?'

Annelies zegt een tante te hebben die een bed & breakfast heeft in Scheveningen. 'Je bent er binnen anderhalf uur. Parkeren voor de deur is het enige probleem, dat lukt niet altijd. Maar verder... ik kan haar en het verblijf aanbevelen. Geen mens zo lief als tante Rita. Maar ja, ze kan vol zitten en dan heb je pech.'

Susan buigt zich langs Annelies heen. 'Bel haar eens, als je wilt.'

Dat is zo gebeurd, en na tien minuten babbelen met tante is Annelies terug. 'Ze heeft nog plek, maar de weersverwachting is goed, dus ze verwacht de nodige aanvragen. Zal ik de kamer bespreken? Je kunt er morgen terecht, als je zou willen.'

Susan en Annelies zijn het eens. Sigrid lacht slapjes en geeft toe. Een klein weekje weg. Vijf dagen moet genoeg zijn.

'Ze kijkt naar je uit,' straalt Annelies even later en dan, dan kan ze toch echt haar nieuws niet voor zich houden.

'We hebben een afspraak. Lars en ik. Met Dennis, natuurlijk.'

Susan kijkt tevreden. Ze heeft, vindt ze, geweldige broers. Lars en Ron.

'Ze willen me hebben. En mijn stem, sorry dat het zo zelfvoldaan klinkt, daar zijn ze weg van. Ik ben degene die nog een probleempje heeft.'

'En dat is?'

Susan is gaan staan, tijd om haar zoon te voeden, de aanstaande bioboer. 'Nou ja, de tekst van de liederen. Lars zegt dat die mooier klinkt als je erachter staat. Ik ben niet echt ongelovig, maar zoals de meeste mensen denk ik: dat zie ik later wel, als ik eraan toe ben. Als ik op sterven lig of zo... Maar Lars heeft het dan weer over hoop. Hoop op de toekomst na dit leven. En dan komen we weer bij de teksten terecht. Zoals: *Op die heuvel daarginds*. Dat ruwhouten kruis. Ik zie het voor me, een kruis, van grof ongeschaafd hout. Want het is toch maar voor een dag nodig. Waarom zou je het schaven, schuren en lakken? Wel, dat snap ik allemaal best. Maar de rest... Lars heeft zich uitgesloofd en mij de halve Bijbel proberen uit te leggen. Het is moeilijk om dat allemaal als de waarheid te zien. Ik ben zo nuchter, zie je. En als ik eerlijk ben: ik heb toch geen... hoe noemde Lars het ook weer... een Middelaar nodig?'

Susan en Sigrid weten even niet hoe te reageren.

'En dat bidden, dat is ook zoiets. Als ik bijna van de trap val, gil ik, maar dan komt er ook zoiets als een schietgebedje. Maar valt dat onder het kopje 'bidden'?'

Susan kijkt op haar horloge. 'Ik moet naar mijn kind. Eh... Annelies, ik denk dat je met bidden al een begin hebt gemaakt. Want ook schietgebedjes horen erbij.'

De zon is warm, Sigrid heft haar gezicht op naar de warme stralen. 'Geloof, denk ik weleens, Annelies, is een geschenk, maar het is wél voor iedereen die het aanpakt met twee handen. Maak je niet te druk, want als je er open voor staat en iets verder gaat dan de schietgebedjes, kom je er wel en zing je uit volle borst de liederen die je nu nog niet kent.'

'Zou je denken? Het is een nieuwe wereld voor me, maar dat ik de kans krijg om te zingen is zo verleidelijk dat ik over de aarzelingen heen stap. En die twee kerels, Lars en Dennis, die heb ik nu al in mijn hart gesloten.'

Zonder adempauze zegt ze het adres van tante Rita op te zullen schrijven. 'Ze heeft ook een website. Je hebt toch een computer? Wat let ons? Kom op dan!'

Een telefoontje naar huis maakt dat Sigrid opeens haast krijgt en diezelfde avond nog haar koffer pakt. Want wat haar moeder zoal vertelde, deed haar schrikken. Jeroen is volledig in beeld. Het is dat hij zo druk is op zijn werk, anders was hij Sigrid meteen nagereden. 'Want hij heeft toch wel iets hartelijks over zich. Misschien is hij ten goede veranderd, Sigrid. In ieder geval is hij de arm om je heen die je zo nodig hebt. Hij denkt erover zaterdag naar je toe te komen.'

'Dan ben ik weg.'

Waarheen?

'Doet er niet toe, mam. Jeroen heeft zijn kans gehad, en ik vrees dat ik hem altijd zal blijven verwijten dat hij mij destijds heeft gedumpt. En hoe. Geen kwestie van vergeven en vergeten, maar meer een van de waarheid ontdekken.'

Ze vraagt zich af hoe het komt dat haar ouders, zeker mam, zich door Jeroen hebben laten inpalmen. Nu moet ze nog de kracht vinden om hem in de ogen te zien en te zeggen dat ze de klok niet terug wil draaien. Als dat al mogelijk is.

Dus: koffer pakken en heel even verstand op nul.

Sigrid krijgt plezier in de extraatjes van haar nieuwe auto. Want zie, er is een navigatiesysteem ingebouwd. Dat zal ze nodig hebben!

Tot Rijswijk weet ze de weg prima te vinden. Het verkeer is behoorlijk intensief en het is geweldig dat ze niet op de borden hoeft te letten. Een lichtelijk bezorgde mannenstem voert haar door de straten tot ze is waar ze moet zijn: een vrij drukke weg, met een trambaan en in het midden een groene berm.

'Bestemming bereikt!' Klinkt de tomtommeneer nu heus opgelucht? Dat zal wel verbeelding zijn, toch?

En zie, een wondertje. Vlak voor het huis van tante Rita rijdt een Mercedes met Duits nummerbord weg. Sigrid geeft richting aan, haalt het stuur om en roept: 'Hoera!'

Even uitblazen. Op de trottoirs lopen vakantiegangers. Badjassen over strandkleding heen, jonge ouders met bolderkarren die uitpuilen met kinderen en speelgoed, tieners in zeer schaarse kleding en flanerende mensen die wandelen alsof ze over een catwalk moeten.

Sigrid rekt zich uit. Ze ziet op het dashboardklokje dat ze er meer dan anderhalf uur over heeft gedaan. Maar dat maakt niets uit. Ze pakt haar handtas en stapt uit.

De geur van frituurolie en uitlaatgassen vermengt zich met die van de zee.

Het statige huis van tante Rita heeft veel verdiepingen en een sierlijk balkon. De voortuin is niet groot, er ligt grind, geen border, maar planten in potten. Een rode bank staat op het stoepje voor de openslaande tuindeuren.

Sigrid duwt het smeedijzeren hekje open. Hoe dan ook, ze is weg van huis. En dat was toch de bedoeling?

Tante Rita, een kleine vrouw met een schattig gezicht en een dot grijs, krullend haar op haar hoofd, begroet haar warm. Alsof ze elkaar kennen.

'Een vriendin van Annelies is altijd welkom! Goede reis gehad? Niet te warm, onderweg? O nee, je hebt natuurlijk zo'n modern ding om de temperatuur te regelen. Ik heb thee. Zin? Kom dan maar mee, de bagage komt straks wel.'

Grote kamers, hoge plafonds. Een inrichting die Sigrid aanspreekt. Een bastaardhond komt kwispelstaartend op haar af, hij wil geaaid worden. Op een stoel ligt een dikke kat die, als hij zijn kop schudt, een belletje laat rinkelen. Sigrid voelt zich meteen thuis. En als ze de gehuurde kamer ziet, maakt haar hart een sprongetje. Het is het vertrek met het balkon. Vitrage beweegt zachtjes in de zoele zomerwind.

'Je hoort natuurlijk wel het verkeer.' Tante Rita zegt het op verontschuldigende toon.

Sigrid zegt dat dit haar niet stoort. 'Ik waan me in het buitenland.'

Dat gevoel blijft. Ze geniet van zon en zee, het nieuwe om haar heen. De vele buitenlanders, de overvolle terrassen en het zeewater.

Maar nadenken kan ze pas als ze op advies van tante Rita een wandeling door het duingebied maakt. Met een thermoskan koffie en een paar broodjes in haar rugzak. Je moet de weg kennen om hier terecht te komen, vindt Sigrid als ze boven op een duin staat vanwaar ze in de verte het gekrioel op het strand kan observeren. Het is dezelfde zee als bij de plaats waar Jeroen is opgegroeid, maar daar houdt de vergelijking op.

Ze nestelt zich tegen een duin, geniet van de warmte op haar huid.

Koffie, broodjes. Wat wil ze nog meer?

Dan is het er opeens. Een arm om haar heen. Die van een maatje. Hét maatje, de man met wie ze haar leven wil delen. En opeens is daar het zekere weten: dat is niet Jeroen, en die zal het ook nooit worden.

Ze sluit haar ogen. Ze luistert naar het zware gezoem van een bij en ademt diep in. Geuren van begroeiing die ze niet kent. Kamille, of is het toch tijm? Ze likt haar lippen af, ze proeft zout. Het strandgejoel dringt nagenoeg niet tot haar door.

Het is, ze weet het nu zeker, niemand anders dan Thijmen. Ondanks het feit dat hij een gescheiden man is, vader van een meisje.

Het is zijn glimlach, de intens blauwe ogen en de uitdrukking ervan, zijn vriendelijk gezicht. Ja, hij is het naar wie ze verlangt. En nu ze het heeft herkend en toegegeven, bloeit er iets in haar op. Een ongekend verlangen. Het is zijn arm die ze om zich heen wil voelen, elke dag opnieuw. Maar is ze niet te laat? Hoe heet ze ook weer... Martine Winkels, heeft die het gras voor haar voeten weggemaaid? En wat als Karen haar man terug wil? Ware het mogelijk...

Zo veel onbeantwoorde vragen.

Moet ze de minste zijn en Thijmen opbiechten wat ze echt voor hem voelt? En nog wat, hoe kon ze zo lang verblind zijn? Hoe kon ze niet beseffen dat hij de enige is die haar hart doet opspringen van verlangen?

De koffie is op, net als de broodjes. Sigrid sluit haar ogen, ze droomt van wat misschien haar toekomst is. Wijsheid, dat heeft ze nu nodig.

Ze moet allereerst Jeroen laten weten dat zijn lijmpogingen vergeefs zijn. Ach, wat is ze aan het dwalen geweest. Dennis, Lars, niet te vergeten Willem Beker. Nee, ze heeft de afgelopen maanden niet te klagen

gehad over mannelijke belangstelling! Voeg daar Jeroen aan toe...
Opeens houdt ze het niet langer uit op dat paradijselijke plekje. Ze pakt haar spulletjes bij elkaar en propt ze in de rugzak.
Nu wil ze maar één ding: terug naar huis.

Ja, de korte vakantie heeft klaarheid gebracht.
Maar hoe dichter ze de boerderij nadert, hoe meer de angst toeslaat dat ze te laat is.
Als ze een sanitaire stop maakt en daarna op een terras achter een groot glas fris met de nodige ijsklontjes zit, tikt ze het nummer van haar moeders mobiel in.
Na bijgepraat te hebben krijgt ze te horen dat de logés naar huis zijn. 'Papa heeft ze gebracht, Thijmen wilde zijn winkeljuffrouw niet lastigvallen. Hij moest naar het ziekenhuis om het gips te laten vervangen door loopgips. Dan is hij meteen wat mobieler. En wat zullen wij Eveline missen! Maar het kind wilde per se met haar vader mee. Ze is zo bezorgd om hem, aandoenlijk.' Anja rebbelt maar door, maar Sigrid weet genoeg. Thijmen is thuis en als ze wat wil, zal ze zelf de eerste stap moeten zetten. Ook al hoort dat volgens haar de man te zijn die dat doet. Maar gaan die gewoonten anno nu ook nog op?

Eenmaal vlak bij het dorp besluit ze in de stad boodschappen te doen. In de supermarkt slaat ze louter luxedingen in. Wijn van goede kwaliteit, gebak, een kant-en-klare maaltijd. Geen ijs, ze is bang dat het zal smelten. Wel toetjes en heerlijk fruit.
Ze plant de overvolle doos achter in de auto en rijdt met bonkend hart maar zelfverzekerd de korte afstand naar het huis van Thijmen Schreurs.
Ze wordt begroet door een enthousiaste Eveline. 'Sigrid, ik wist wel dat je me niet zou vergeten. Ik mag wanneer ik wil logeren bij oma Anja.'
Een dikke knuffel. 'Je ruikt naar de zon en chips.' Sigrid lacht en vraagt zich af of dit blije kind in de toekomst haar zorg zal zijn.
'Wat heb je allemaal meegebracht? En je bent echt bruin geworden. Zal

ik helpen dragen? Wat lekker allemaal! Dan hoef ik niet te koken. Oma Anja heeft me zo veel geleerd!'

In huis is het koel, het ruikt er schoon naar groene zeep.

Sigrid haalt diep adem en loopt door naar de keuken. Ze speurt naar eventuele aanwijzingen dat Martine hier de scepter heeft gezwaaid.

Eveline rent door de kamer, Sigrid hoort haar kwebbelen tegen haar vader.

'Dat meen je toch niet? Geweldig!'

Daar is hij, de man die zich als het ware in haar hart en ziel heeft gemanifesteerd.

Hij knippert met zijn ogen, verblind als hij is door de felle zomerzon, met ontbloot bovenlijf en een korte broek, om zijn ene been het loopgips.

Sigrid is vergeten wat ze normaal zegt bij een begroeting. Ze knippert ook met haar ogen, maar om een andere reden. Alsjeblieft geen tranen nu!

'Wat een superverrassing. We dachten dat je ergens in het buitenland zat. Ben je echt alleen uit geweest? Jeroen liet doorschemeren dat hij je achternareisde.'

Sigrid drukt een komkommer tegen haar borst. 'Alsjeblieft niet!' Raar schor klinkt haar stem.

Vanuit de tuin horen ze Eveline gillen. Thijmen doet een stap in haar richting. 'De tuinslang. We hebben een nieuwe met zo'n draaivoet, je weet wel.'

Nog een stapje. In Sigrids handen knapt de komkommer in twee stukken. Ze kijkt, bijna ontredderd, naar de groene dingen in haar handen. Dan zegt ze plompverloren: 'Waar is ze? Ik bedoel... Mm...Martine.'

Thijmen lacht zijn scheve lachje. Dan doet hij weer een stapje in haar richting. 'Waar ze hoort te zijn. In de winkel. Of in het magazijn, weet ik veel. Sigrid, jij kijkt zo... Ben je van plan mij als die komkommer te behandelen? In twee stukken te breken?'

Dan knapt er wat in Sigrid. Hier, in de hal van Thijmens huis, is het niet de juiste plaats. Ze had het zich al honderdmaal voorgesteld, telkens op een andere manier. Kalm sprekend, uitleggend, vragend, samenvattend... Niets van dat alles wordt realiteit. Weg zijn de ingestudeerde zinnen. Ze kijkt naar de stukken komkommer.

Haar gevoel voor humor wint het na één poging. Ze houdt haar rechterhand omhoog. 'Wil jij ook een stuk? Het is... het is in de aanbieding, zal ik maar zeggen. Maar als je ze tegen elkaar aan houdt... nou ja, dan blijven het nog twee stukken.'

Thijmen lacht niet meer. Hij pakt de stukken uit haar handen en mikt ze waar ze horen: in de keuken. Helaas op de grond.

De spanning is om te snijden.

'Wat is de bedoeling, Sigrid?'

Sigrid schudt haar hoofd.

'Ik ben weg geweest om na te denken. En toen ik tegen een duin zat... wist ik wat me te doen stond. Jeroen...'

De ogen van Thijmen lijken opeens zwart te worden. 'Ja?' Zijn stem klinkt als die van een vreemde.

'Het is voorbij. Ik wist het al wel, maar heel even toch niet. En nu weet ik het zeker. Het is niet zoals het hoort, ik weet het. Maar ik durf het risico niet te nemen dat ik te laat... ben ik te laat, Thijmen?'

Thijmen fronst zijn voorhoofd, hij wrijft onzeker met een hand over zijn borst die lichtelijk rood verbrand is.

'Te laat voor wat? Niet voor het eten, denk ik toch. Sigrid, wat wil je me duidelijk maken?'

Sigrid draait zich om, ze rent naar de keuken. Daar opent ze de kraan, ze gooit water in haar gezicht en vergeet het af te drogen. Ze staat onder ongekende spanning.

Thijmen legt zijn handen zwaar op haar schouders. Ze drukt zich tegen de harde rand van het aanrecht, haar ogen op de halve komkommers gericht. Thijmen ruikt naar zonnebrandcrème en transpiratie. Sigrid snuift verlangend.

'Je bent nat...' Thijmen laat haar los en grijpt een theedoek waarmee hij over haar gezicht veegt. Dan is het over met de beheersing. De theedoek gaat de weg van de komkommers. Hij duwt Sigrid nog dichter tegen het aanrecht en knelt beide armen om haar heen. Hij stopt zijn gezicht in haar blonde haar. 'Vergeet wat je mij probeert uit te leggen... Laat mij het van je overnemen...'

Grote mannenhanden om haar gezicht, die ogen zijn nu vlak bij de hare. Zijn hunkerende mond ook. 'Zal ik het nog eens vragen, Sigrid? Wil je mijn vrouw worden, snel en levenslang?'

Wat kan ze anders doen dan toegeven aan haar verlangens?

'Ja...' Haar stemgeluid wordt tegen zijn naakte borst gesmoord.

'En Eveline?'

Dan duwt ze hem een klein stukje van zich af en kijkt hem aan.

'Jouw kind. Ik hoop dat het "kinderen" zal worden, Thijmen. Ik houd van je op een manier waarop ik nog nooit eerder van iemand heb gehouden. Ik schaamde me zo dat ik het zelf wilde vertellen... maar ik wist ook zeker dat jij...'

Thijmens lach is ontspannen, gelukkig. 'Dacht je heus dat ik niet nog een poging gewaagd zou hebben? Liefste, liefste Sigrid, je weet niet hoe gelukkig jij me maakt. Met jou naast me voel ik me compleet!'

Dan een kinderstemmetje. 'Wat doen jullie nou toch?'

Thijmen bukt zich, hij duwt Sigrid een halve komkommer in de hand.

'Gewoon, lieve meid, we delen een komkommer en straks...'

Hij trekt Eveline tegen zich aan, slaat de andere arm om Sigrid.

'En het is de bedoeling dat we heel snel alles wat we hebben gaan delen. Het huis, alles wat erin staat... heel ons leven en... jou!'

Eveline slaakt een kreet. 'Dus jij en papa...? Dat had ik al zo heel lang gewild! Misschien krijgen we dan ook een baby, net als mama en haar nieuwe man, pap. Wat zou dat geweldig zijn! Als ik maar geen "mama" tegen je hoef te zeggen. Want ik heb al een moeder. Weet je wat, ik bedenk wel wat anders. Hoi! Wat ben ik blij!'

En weg danst ze. Terug naar de zongeschroeide tuin en de waterslang.

'Sigrid?'

Diep ademhalen. Voorzichtig dit nieuwe leven in stappen.

Ze legt haar armen om Thijmens hals. 'Ik heb geen woorden om te zeggen hoe gelukkig ik me voel.'

Thijmen lacht schor.

'Daarom is daar wat voor uitgevonden. Namelijk dit...' Het is niet de eerste kus die ze van hem krijgt. Maar wel de meest verlangende, een belofte van wat zal komen.

Wat later leunt Sigrid tegen hem aan, en ze weet maar één ding te zeggen: 'Denk je dat er nog méér voor is uitgevonden?'

Zeker weten.

Voordat het eten op tafel staat, is het al bijna donker. Maar alle drie beseffen ze dat dit een feestmaal is.

Een feestmaal dat naar verwachting het eerste is van vele!